DIE VEREDELUNG DER GEWERBLICHEN ARBEIT IM ZUSAMMENWIRKEN VON KUNST·INDUSTRIE UND HANDWERK

VERHANDLUNG
DES DEUTSCHEN WERKBUNDES ZU
MÜNCHEN AM 11. UND 12. JULI 1908

R. VOIGTLÄNDER[s] VERLAG·LEIPZIG

ERÖFFNUNGSANSPRACHE

VORSITZENDER PROF. THEODOR FISCHER, MÜNCHEN

Hochansehnliche Versammlung! Als dem derzeitigen Vorsitzenden des deutschen Werkbundes liegt mir die Ehrenpflicht ob, die Versammlung zu begrüßen. In erster Linie beehre ich mich, die Vertreter der hohen Regierungen von Bayern und Preußen willkommen zu heißen mit ehrerbietigem Dank für ihr Erscheinen und ebenso sage ich meinen Dank für das Erscheinen des Oberhaupts dieser unvergleichlich schönen Stadt München. Ich erlaube mir den Vorschlag zu machen, von offiziellen Begrüßungsansprachen heute Abstand zu nehmen in besonderer Rücksicht darauf, daß München zur Zeit der Ort so vieler Kongresse und Versammlungen ist. (Beifall.)

Meine verehrten Anwesenden! Von hoher Stelle wurde vor nicht langer Zeit das Wort ausgesprochen, daß es unserer nationalen Kultur an ideellen Werten und Bestrebungen fehle. Ich glaube nicht, daß es eine Überhebung ist, wenn ich ausspreche, daß heute hier in diesem Raum und zu dieser Stunde eine außerordentliche Summe von Idealismus versammelt ist. Es ist nun dem Idealismus eigentümlich, daß er seine Ziele weit steckt, und mit dem Glauben an die Arbeit geht, sein Ziel bald zu erreichen. Diejenigen also, die sich berechtigt glauben, in diesem Sinne der Allgemeinheit zu helfen, können ihren Beruf nicht besser erfüllen, als indem sie gewissermaßen daran arbeiten, sich und ihre Arbeit überflüssig zu machen. So wird auch, so hoffen wir, unser Bund nicht ein allzulanges Leben haben. Das klingt paradox, aber wir meinen, wenn unser

Bund in annähernd zehn Jahren seine Arbeit getan hat, dann könnte er das Zeitliche segnen. Bis dahin aber ist außerordentlich viel Arbeit zu leisten, und ich bitte auch Sie, mitzuarbeiten, indem Sie uns heute ein freundliches Gehör schenken.

DIE VEREDLUNG DER GEWERBLICHEN ARBEIT IM ZUSAMMENWIRKEN VON KUNST, INDUSTRIE UND HANDWERK

REFERATE

PROF. THEODOR FISCHER, MÜNCHEN:

Meine Damen und Herren! Im Gegensatze zum Mann der Wissenschaft beansprucht Unsereiner das Recht, ein Problem in freierer Form zu besprechen. Weder Methode noch erschöpfende Behandlung wird unsere Stärke sein können. Wir lieben vielmehr den Aphorismus. Von dem Rechte dieser freieren Form Gebrauch zu machen, wollen Sie mir also freundlich gestatten! Und wenn ich es wage, an einen Gegenstand heranzutreten, dessen großer Teil der Volkswirtschaft angehört, ohne daß ich mich jemals dieser Wissenschaft zu nähern Gelegenheit hatte, so möge daraus nicht geschlossen werden, daß ich sie gering schätze.

Was wir die »modernen Produktionsformen« nennen, bedarf nicht langer Ausführung. Es ist gleichsam ein Knäuel von Fäden, die so aneinander geknüpft sind, daß man nicht Anfang oder Ende des einzelnen erkennen kann. Die Maschinenarbeit erleichtert die Massenproduktion, diese wieder fordert und gebiert jene, und beide zusammen bringen die Arbeitsteilung hervor, nicht nur die Teilung der Arbeit innerhalb der eigentlichen Produktion, sondern, was uns am meisten angeht, die Teilung der Arbeit des Erfinders, des Erzeugers und des Verkäufers.

Allzunahe liegt ein Vergleich dieser Diskrepanz mit der Geschichte des alten Römers, nach der sich die Glieder des menschlichen Körpers mit den inneren Organen nicht mehr vertragen und ihre eigenen Wege gehen wollten. Unser Werkbund wird nun hoffentlich der Menenius Agrippa, welcher die Hadernden daran erinnert, daß Jeder von ihnen ohne den andern zugrunde gehen muß.

Auf der anderen Seite bedarf die künstlerische Gestaltung auch nicht einer besonderen Erklärung. Nur die eine Einschränkung will ich nicht versäumen, schon hier zu machen: die Malerei und Bildhauerei, die hohen Künste wie sie es lieben genannt zu werden, wollen wir ganz beiseite lassen. Zwar könnte wohl einer sagen, daß die Massenproduktion von Bildern wie sie heute der Staat selbst durch die Kunstschulen heran gezüchtet hat, mit den Zuständen des Handwerks sehr viel Gemeinsames habe, aber trotzdem diese Massenproduktion und diese Bilderschmückerei manche äußere Ähnlichkeit zeigen mit den Zuständen in den Gebieten, die wir zu besprechen haben, meine ich doch, daß der eigentlichen Kunst mit Bünden und Vereinigungen nicht geholfen werden könne, sondern daß sie Sache des Einzelnen sei und bleibe. Entgegen der Mode wollen wir also von Kunst nicht weiter sprechen.

Der Einfluß der modernen Produktionsformen auf die Gestaltung der Produkte ist nun, wie mir scheint, ganz unzweifelhaft. Ob er aber an sich notwendig auf die Qualität in schlechtem Sinne einwirken muß, das ist die große Frage, die uns im besonderen beschäftigen soll. Daß er es zurzeit in erschreckendem Maße tut, ist eine betrübliche Tatsache, für die Beweise anzuführen nicht schwer halten dürfte. Aber die ebenso sichere Tatsache, daß wir Betriebe haben mit modernster Produktionsweise, die gleichwohl Qualitätsarbeit liefern, und eine Überlegung, die nicht an der Oberfläche verweilt, wird uns dazu führen, daß wir über den Pessimismus in diesen Dingen hinauskommen.

Wenn ich hier das in diesen Tagen viel zu nennende Wort Qualität gebrauche, so ist es nicht ganz unnötig, einzugestehen, daß ich diesen Begriff in sehr unwissenschaftlicher Weise nicht durch eine Definition festgelegt haben möchte. So wenig wir über den Begriff »schön« einig würden, so sehr ist es nötig, der Qualität einen nach Person und Produktionsgebiet etwas verschiedenen Begriffsinhalt zuzugestehen.

Üblich ist das Wort allgemein bei uns als Ausdruck einer positiv guten Eigenschaft eines künstlerischen oder gewerblichen Erzeugnisses und zwar gut im Sinne des verwendeten Materials und der technischen Ausführung, und gut im Sinne der Form und der Farbe.

Das Adjektiv zu dem Substantiv: Qualität heißt in unserer Sprache: »anständig«, woraus entnommen werden mag, wie bescheiden von unseren Leistungen zu denken und zu sprechen wir uns gewöhnt haben.

Einem gewissen Pessimismus können wir nun allerdings kaum wehren, wenn wir den Einfluß der modernen Produktionsform auf die Qualität der Arbeit betrachten.

Aber es ist klar, daß nicht das ganze weite Gebiet der gewerblichen Tätigkeit in gleichem Maße diesen Wirkungen unterworfen ist. Vielmehr läßt sich aus den Gewerben, welche wir in unserem Bunde zusammenfassen, eine langgedehnte Reihe bilden mit zwei sich entgegengesetzten Polen, von denen der eine die individuelle Arbeit des der Kunst nahestehenden Kunsthandwerkes darstellt, der

andere die Industrie, welche im wesentlichen Maschinenarbeit leistet.
Je weiter wir nach jener Seite schreiten, desto geringer scheint zunächst der Einfluß der modernen Technik, desto sicherer die Domäne der Persönlichkeit zu sein. Aber der Schein trügt. Die Vorbedingungen des Schaffens selbst allerdings werden von Maschinen und Arbeitsteilung beispielsweise bei einem Juwelier wenig beeinflußt; aber die leichte und leider oft gewissenlose Produktion von der anderen Seite der Reihe, beim Pole der Industrie, verdirbt Geschmack und Markt für jede Art von Arbeit, und so beeinflußt die moderne Technik auch die Gewerbe beim Pole der Kunst in bedenklicher Weise. Um zu dem Bilde des Menenius Agrippa zurückzukehren: die ungeheuere Entwicklung der Technik gleicht einer Hypertrophie dienender Organe, welche den feineren Organen das Blut abschnürt. Die Harmonie im Körper unseres gewerblichen Tuns und Seins ist recht ernstlich gefährdet.
Wenn einer es unternimmt, meine Damen und Herren, gerade heute, wo die Eroberung der Luft begreiflicherweise einen recht stattlichen Rausch von Entzücken hervorgebracht hat, der Technik am Zeug zu flicken, so wird er wenig Eindruck machen. Aber leider ist eben dies ein Weg, wie mir scheint, um Klarheit in unser Problem zu bringen. Und so muß ich darangehen.
Ich habe die Technik mit den dienenden Organen des Körpers verglichen, wobei ich selbstverständlich dieses Verhältnis von dienenden zu dirigierenden Organen nicht in physiologischem Sinne, sondern im naiven Sinne des alten Fabelerzählers auffaßte. Heute dirigiert nun ganz

gewiß nicht der Kopf oder das Herz, sondern die Arme dirigieren und die Beine und der Magen. Die Arme, d. i. die Industrie, die Beine der Verkehr und der Magen die Finanzen.
Alle diese schönen Dinge — zusammenzufassen in dem Wort mit faszinierender Gewalt, das da heißt »die Technik« — haben nun den bekannten ungeheueren Aufschwung erlebt, der dem Bürger des 19. und 20. Jahrhunderts das Herz mit Stolz schwellt und der noch nicht abgeschlossen scheint, obwohl man schon Museen dafür baut. Fern sei es von mir, das Tatsächliche dieser Entwicklung verkleinern zu wollen. Aber wo bleibt die Kultur?
Was ist Mittel, und was ist Zweck?
Wer von denen, die in der Technik stehen, denkt daran, daß ihre Straßen und Eisenbahnen nur Mittel, daß ihre Maschinen nur Werkzeuge der Zivilisation, und daß die Zivilisation selbst nur eine und in diesem Umfange nicht einmal notwendige Voraussetzung der Kultur sei?
Da wird dann kurzerhand Zivilisation gleich Kultur gesetzt und die menschheitbeglückende Technik laut gepriesen.
Welchen denkenden und fühlenden Menschen aber hat die Technik in ihren Wirkungen schon beglückt? Wissen wir es nicht genau, daß unsere Kultur vor hundert Jahren höher, edler, beglückender war als heute?
In den einzelnen Künsten, beim Malen und Klavierspielen z. B. ist es eine selbstverständliche Sache, daß es schief steht, wenn die Technik als Selbstzweck sich hervordrängt. Nun, in der großen Kunst der Kultur sind wir herabgekommen auf den Standpunkt des technischen Virtuosen: unser Spiel ist glänzend aber leer. Es hat den Anschein, als ob die wachsende Technik an sich den Kulturinhalt, die Schön-

heitswerte des Daseins vernichten wollte. Aber in der Nähe besehen ist es vielmehr die Überschätzung der Technik bei Produzenten wie bei Konsumenten, welche jene Gefahren heraufbeschwört.
Erst wenn die Technik Selbstzweck wird, geht es mit den wirklichen Werten abwärts, so in den einzelnen Künsten, so in der Gesamtkunst des Lebens.
Mißtrauen ist also in diesem Falle erlaubt und zuträglich, nicht aber ein Mißtrauen in die Möglichkeit, mit und trotz entwickelter Technik Kulturarbeit zu leisten, sondern Mißtrauen in die heutige Bewertung der Technik.
Wenn wir also den Einfluß der modernen Produktionsform auf die Qualität der Arbeit zu untersuchen haben, und die vulgären Anschauungen im Einzelnen nachprüfen wollen, da wird zunächst die Maschine genannt als ein Faktor, der Alles von Grund aus geändert habe.
Mißtrauisch gegen vulgäre Anschauungen, wie wir nun schon sind, erinnern wir uns vielleicht daran, daß es dem Menschen eigentümlich ist, sein Zeitalter jeweils als das anzusehen, in dem die Menschheit die allergrößten Fortschrittegemacht habe.
Heute in diesem technischen Zeitalter erinnert man sich ungern oder gar nicht daran, daß es schon recht lange Maschinen gegeben hat, daß z. B. die Töpferscheibe auch eine Maschine ist. Neu ist nur, daß der Mensch sich von der Maschine, die in beänstigendem Tempo sich vervielfältigt, umgewandelt und vervollkommnet hat, unterjochen ließ, eben dieses Tempos wegen, da er nicht Zeit fand, jeder neuen Form in der Eile Herr zu werden.
Zwischen Werkzeug und Maschine gibt es also keine feste Grenze. Qualitätsarbeit kann der Mensch mit dem

Werkzeug schaffen oder mit der Maschine, sobald er sie zum Werkzeug bewältigt hat.
Darauf kommt es an.
Also nicht die Maschine an sich ist es, die die Arbeit minderwertig macht, sondern die Unfähigkeit, die Maschine richtig zu verwenden.
Das könnte nun so aufgefaßt werden, als ob ich der Maschine gar keinen Einfluß auf die Gestaltung zuerkennen und der frei erfundenen Form allein das Wort reden wollte. Wer aber wie ich, aus der Arbeit an die Überlegung solcher Dinge kommt und nicht umgekehrt aus der Überlegung die Arbeit beurteilt, der weiß, wie stark die Form bestimmt wird durch den Zweck, das Material und endlich durch das Werkzeug.
Damit ist der jetzt so sehr in den Vordergrund gestellten Augenkultur gar nichts abgesprochen, denn hier handelt es sich um das Entstehen der Form, nicht um das ästhetische Genießen.
Wir sind lange in dem Irrtum befangen gewesen, daß diese drei Väter der Form hinter der dekorativen Idee zurücktreten müßten. In der Mehrzahl sind wir aber heute in anderen Bahnen soweit fortgeschritten, daß wir faßt wieder der Gefahr einer anderen Einseitigkeit entgegengehen. Dem Zweck und dem Material erkennen wir ein fast uneingeschränktes Recht bei der Formgebung zu. Daß das Werkzeug auch mitbestimmt, ist eine Bemerkung, die weit seltener gemacht wird und in der Tat ist ja das Werkzeug im wesentlichen durch das Material mitbestimmt. Aber demselben Sandstein, um in meinem Fach zu bleiben, kann man mit Spitzeisen, dem Scharriereisen und mit noch manchem anderen beson-

deren Werkzeug sehr verschiedene Formen geben. Das Holz ist ein anderes, ob es mit der Säge, dem Hobel behandelt oder poliert wird und Metall gewinnt andere Formen unter dem Hammer, unter der Feile, oder wenn es getrieben wird. Ein größerer Einfluß auf die Formgebung, als dem Werkzeug ist im allgemeinen auch der Maschine nicht zuzusprechen. Aber damit ist der Maschine ihr Recht auf die Formengebung zugesprochen, nur darf sie nicht — und das ist das Wesentliche — deshalb, weil ihr nichts unmöglich scheint, jede beliebige Form, vor allem nicht die Form der *persönlichen Arbeit*, *der Handarbeit*, hervorzubringen versuchen.

Wir sind im großen Ganzen darüber hinaus, ein Material durch ein anderes, minder wertvolles zu imitieren. Wir verpönen es, Bauformen, die dem Stein eigentümlich sind, in Stuck nachzumachen oder weiches Holz durch Anstrich betrügerischerweise in edles Holz zu verwandeln und was dergleichen schöne Praktiken mehr sind. Aber freilich noch lange nicht überall haben wir damit gebrochen. Doublé ist noch Trumpf im engeren und weiteren Sinne.

Aber ganz verstockt ist noch das öffentliche Gewissen der Imitation der Form gegenüber. Nicht von *der* Form will ich sprechen, welche dem Material entspringt, wiewohl gerade hierin Entlehnungen genug gemacht werden, sondern von *der* Form, wie sie nach dem oben vom Werkzeug Gesagten aus der Art der Herstellung und aus dem Werkzeug sich erklären läßt.

Der modernen Technik ist, wie man sagt, nichts unmöglich und so sieht sie kein Arges darin, mit Maschinen Handarbeit vorzutäuschen. So gern ich zugebe, daß für dergleichen keine drakonischen Sittengesetze aufgestellt werden dürfen, denn mit dem Spiel ist die Kunst wesensverwandt, so muß eben doch das Spiel ehrlich sein. Wenn aber geschnitzte Ornamente täuschend mit der Maschine imitiert werden, so kann nur ein ganz gedankenloser Mensch daran Spaß haben. Oder wenn erzählt wird, daß umfangreiche silberne Prunkstücke, welche der Maschine ihr Dasein verdanken, mit nachträglichen Hammerschlägen versehen werden müssen, damit sie der Zwischenhändler als Handarbeit an den Mann bringen kann, so hört überhaupt eine Kritik mit gesellschaftlich erlaubten Ausdrücken auf.

Ich will nicht ins Moralische abschweifen! Wie tief aber muß die Fähigkeit, Arbeit zu beurteilen und Arbeit zu schätzen, gesunken sein, wenn derartiges sein Publikum findet!

Verfeinerten Gemütern werde ich nicht Unbekanntes vorbringen, wenn ich als Beispiel auch die maschinelle Verkleinerung von Reliefs für Münzen und Medaillen dahin rechne. Die Herren Römer Dasio und Floßmann werden mir bestätigen, was es um den falschen Stil dieser Maschinenarbeit, um die Verläugnung der Handarbeit auch in diesen edleren Dingen für eine üble Bewandtnis hat. Was die Maschine also nicht darf, ist klar, sie darf nicht Handarbeit nachmachen.

Was sie aber darf, ist reichlich genug, um eine ganze Welt guter, gesunder und schöner Produktion ans Licht zu bringen.

Das Wesentliche der Maschinenarbeit ist die Gleichförmigkeit der Produkte. Dabei kann man denken an mechanisch hergestellte Teilstücke, welche gerade durch die

Wiederholung derselben Form an derselben Stelle wirken sollen, einerseits und andererseits an gleichgeformte Gebrauchsgegenstände, von denen es unwahrscheinlich ist, daß sie zu gleicher Zeit an der gleichen Stelle gesehen werden.
Die Gleichförmigkeit an sich ist durchaus nicht unangenehm. Sie wird erst unangenehm, wenn die Form falsch ist, d. h., wenn z. B. die Handarbeit nachgeahmt wird oder wenn die Form überladen wird, so daß sie Überdruß erregt, indem eine Disharmonie zwischen dem Reichtum der Form und der leichten Herstellung empfunden wird.
Es wäre merkwürdig, wenn eine derartige Empfindung nicht mehr oder weniger den Gewohnheitsvorstellungen entspringen würde. Da wir noch in der Vorstellung erzogen worden sind und uns gebildet haben, wie große Mühe und Arbeit an ein mit der Hand gefertigtes reiches Gewerbeerzeugnis gewendet ist, fehlt uns vielleicht der Sinn dafür, daß jetzt, da diese Arbeit auf maschinellem Wege ganz leicht erzeugt werden kann, auch die Maschinenarbeit mit Schmuckformen bedeckt sein darf.
In der Tat entspricht dies ganz dem naiven Publikumsgeschmack, den wir sehr überzeugt den schlechten nennen. Sind wir zu diesem Urteil berechtigt?
Wenn wirs nicht sind, wäre es klüger, den Deutschen Werkbund schnell wieder aufzulösen und alles gehen zu lassen, wie es gehen mag.
Aber ist das ästhetische Genießen nicht untrennbar an ein gewisses Mitarbeiten, Miterleben gebunden? Unterscheidet sich das Kennertum nicht gerade dadurch vom Banausentum, daß es seine Vorstellung davon hat, wie's

gemacht wird und daß es dies Gemachtwerden nach-erlebt? Und endlich ist der Tiefstand des Geschmacks nicht gerade daraus zu erklären, daß unser ganzes Volk infolge einer einseitig intellektuellen Erziehung unfähig geworden ist, mitzuarbeiten und mitzuerleben an dem, was schön ist?

Fragen wir unseren Kerschensteiner! Er wird uns darüber aufklären.

Also eine gewisse Knappheit der Form scheint das Wesentliche der Maschinenarbeit, wenn sie richtig aufgefaßt wird.

Charakteristisch ist für sie heute weiterhin die Exaktheit, und es ist recht eigentlich eine Grundfrage, ob diese Eigenschaft an sich ästhetisch ungünstig wirken muß und ob sie überhaupt eine notwendige Eigenschaft der Maschinenarbeit ist.

Daß sie nicht günstig wirkt, zeigen u. a. die modernen Ingenieurbauten, bei denen sie ein Wesentliches bildet, zeigen auch unsere modernen Städte, deren gerade Straßen demselben Anschauungskreise entstammen.

Die mathematische Exaktheit (um diese handelt es sich) war den Kunstleistungen der Alten fremd. Am griechischen Tempel, dem unübertrefflichen Bild formaler Harmonie, ist — man möchte sagen: geflissentlich — alles mathematisch Exakte vermieden und dem Mittelalter war diese Form etwas ganz Fremdes. Die Baumeister dieser Zeit gingen in Abweichungen von der Geraden Linie, dem rechten Winkel oder der Symmetrie so weit, daß unsere exakten Zeitgenossen sich recht entrüstet abwenden würden — wenn sie es merkten. Daß sie es in der Regel nicht merken, daß sie vielmehr die Unexaktheiten

unbewußt angenehm empfinden, läßt hoffen, daß wir aus der Zwangsjacke der mathematischen Exaktheit auch in unserer Produktion uns noch herausarbeiten können.
Ich stehe nicht an, zu bekennen, daß ich in der Arbeit zu der Überzeugung gekommen bin: zum ästhetischen Genuß sei eine geringe Unvollkommenheit der Form notwendig. Nicht die Exaktheit an sich wirkt künstlerisch, sondern das S t r e b e n nach Regelmäßigkeit, der Annäherungszustand, dem die notwendige Mitarbeit der Genießenden zur Vollkommenheit des Eindrucks verhilft. — Das Fehlen dieses Restes zur Vollkommenheit ist es, was so viele unserer neuen Werke im besonderen die der Baukunst hart und frostig erscheinen läßt.
Eine gewisse Kühlheit nun möchte ich für meinen Teil als ein Recht der Maschinenarbeit zuerkennen; die Art der Herstellung, die Beschaffenheit der Formen, kurz, das ganze Wesen der Maschine scheint mir hier die Exaktheit in weit höherem Maße als bei der Handarbeit notwendig zu machen. Ist aber der Aberglaube, daß die Exaktheit an sich schon das wesentliche Ziel der Arbeit sei, erst einmal überwunden, so bleibt selbst in der Maschinenarbeit noch Raum genug für kleine, aber höchst wirksame Verschiedenheiten und man möchte glauben, daß dies umsomehr der Fall sein wird, je mehr, wie ich vorhin sagte, die Maschine Werkzeug in der Hand des Menschen wird.
Um Mißverständnissen vorzubeugen, sei eingeschaltet, daß diese mathematische Exaktheit der Form mit der Solidität der Arbeit nicht das Geringste zu tun hat.
Sobald also die wirkliche und tatsächliche Herrschaft über die Maschine gewonnen ist, hört ihr Einfluß auf, schlecht zu sein.

Mit einem Vergleich möchte ich diesen Teil meiner sehr
unvollkommenen Ausführungen zusammenfassen: Das
Maschinenwesen gleicht einem starken Pferde, das mit
dem Reiter, dem Produzenten durchgegangen ist. Es
gilt, wenn's nicht mit einem Sturz in den Graben der
Unkultur endigen soll, die Herrschaft über das Tier
wieder zu gewinnen. Dies wird dem Reiter am ehesten
gelingen, wenn er alle Eigenheiten des Pferdes kennt
und wenn er seine Besonderheiten in Rücksicht nimmt
und benützt.

Neben der Maschine und durch sie sind es die Massen=
produktion und die Arbeitsteilung welche die Gestaltung
der Produkte beeinflussen.

Mit diesen Wirkungen gelange ich in Gebiete, bei denen
die dem Künstler eigene Anschauung den exakten Me=
thoden der Wissenschaftlichkeit bescheiden das Feld zu
räumen hat.

Immerhin darf ein aus der Beobachtung gewonnener
Gefühlsstandpunkt sich vielleicht noch kurz dahin äußern,
daß, so wenig die Maschine an sich neu und verderblich
genannt werden dürfte, auch die Massenproduktion und
die Arbeitsteilung aufhören, den Kulturmenschen gruseln
zu machen, wenn er versucht, ihre schlechten Einwir=
kungen als die Folge noch nicht geheilter Kinderkrank=
heiten anzusehen.

Solange freilich die Industrie von ihren Vertretern und
von den Regierungen lediglich nach den Steuern und
nach den Zahlen der Arbeiter und des Umsatzes be=
urteilt wird, gleichgültig, ob Qualitätsarbeit geliefert wird
oder nicht, solange müssen wir uns bescheiden.

Es ist eine heikle Sache, daran zu erinnern, daß die

Industrie nicht Selbstzweck und daß ihr einziger Zweck auch nicht sein darf, den Wohlstand zu heben. Millionen können verdient werden und doch der Gesamtheit der größte Schaden zugefügt werden.
Eine der quantitativ bedeutsamsten Industrien hat es fertig gebracht, daß man lange Zeit im Handel kaum mehr echte Farben bekam. Niemand von uns, die wir die Farben zu verwenden haben, zeigte ein Bedürfnis nach jenen unzähligen chemischen Farben. Die Industrie schafft das alles nicht, weil das Kunstgewerbe ein Bedürfnis darnach hatte, sie schafft es um ihrer selbst willen. Zweifellos wird in diesen Betrieben nach den solidesten Grundsätzen gearbeitet, die technische Qualität, soweit sie sich wissenschaftlich bestimmen läßt, ist die beste. Aber die Qualität in unserem Sinne wurde vernachlässigt. Der ungebildete Geschmack des Zwischenhändlers war in den meisten Fällen allein maßgebend.
Und die Folge ist, daß das wundervolle japanische Kunstgewerbe, daß die orientalische Teppichindustrie koloristisch ruiniert; die Folge ist, um in der Heimat zu bleiben, daß Tapetenfabriken, daß Färber und Dekorationsmaler e tutti quanti zur Produktion für kurze Zeitdauer verleitet wurden.
Wozu sollten sie solide Stoffe, gute Muster und ernste Arbeit mit diesen Farbstoffen in Verbindung bringen, da sie ja doch in kurzer Zeit verdorben waren. Nichts aber scheint mir unökonomischer, als die Arbeit auf kurze Dauer.
Sicher ist es im Allgemeinen und in der angeführten Industrie im Besonderen besser geworden, aber das Beispiel zeigt doch, wie gefährlich das Außerachtlassen des

Gedankens werden kann, daß in allem Hervorbringen ein gemeinsames Ziel, eine harmonische Kultur angestrebt werden muß. Raubbau rächt sich nicht schon am morgigen Tage, für den der Realist kalkuliert, aber er rächt sich übermorgen, und das bedenken wir unpraktischen Idealisten.

Massenbetrieb und Arbeitsteilung also ist nichts, wie mir scheint, was an sich verderblich wäre, sondern der Umstand, daß das Ziel: »Qualitätsarbeit« aus den Augen verloren wird, und daß die Industrie im großen Ganzen sich nicht als dienender Teil einer Kulturgemeinschaft, sondern als Herrin der Gegenwart empfindet. Faustrecht und Kleinstaaterei in moderner Form!

Diejenige Arbeitsteilung aber, welche sich zeigt in dem getrennten Wirken der Erfindenden, Produzierenden und der Verkäufer liegt uns am schwersten auf dem Herzen.

Ihrer üblen Wirkung entgegenzuarbeiten, haben wir uns zu einem Bunde zusammengeschlossen, in dem jeder an seinem Teil selbstlos und doch zu seinem Vorteil wirken kann. Über die Mittel, durch die wir hoffen, allmählich die modernen Produktionsformen zu zwingen, daß sie einer kommenden Kultur gehorsam dienen, werden heute und morgen andere sprechen.

(Lebhafter Beifall.)

HERR GUSTAV GERIKE, DIREKTOR DER DELMENHORSTER LINOLEUMFABRIK »ANKERMARKE« IN DELMENHORST B. BREMEN.

Meine Damen und Herren! Nach den vortrefflichen Ausführungen unseres verehrten Herrn Bundes-Vorsitzenden, die ein klares Bild darüber gegeben haben, welchen Einfluß die modernen Produktionsformen auf die künstlerische Gestaltung ausüben, ist es jetzt an mir, Ihnen kurz zu schildern, wie nach meiner Auffassung die Industrie als deren Vertreter ich speziell hier zu Ihnen spreche, sich im Einzelnen zu dem vom Bunde jetzt ausgearbeiteten Leitsätzen stellt, was sie selbst zur Erreichung des Bundeszieles glaubt leisten zu können und was sie außerdem dem Bunde vorzuschlagen hat, damit auch die Massenproduktion durch die Maschine zur Steigerung der Qualität gelangt.

Ich komme an Hand der vorerwähnten Leitsätze des Bundes sofort zum Thema und habe meiner Ansicht zu dem Namen des Bundes dahin Ausdruck zu geben, daß die Industrie sich wohl mit der Bezeichnung »Deutscher Werkbund« wird abfinden können, obwohl von ihr in dem Namen selbst nicht die Rede ist. Die Bezeichnung hat jedenfalls die würzige Kürze für sich. Leitsatz zwei bringt das eigentliche Ziel des Bundes zum Ausdruck: Die Veredelung der gewerblichen Arbeit. Die Industrie wird sich klar zu machen haben, ob sie in der Lage und willens ist, zur Erreichung dieses Zieles energisch mitzuarbeiten.

Ihre Stellungnahme wird nun naturgemäß verschieden sein, je nachdem die betreffenden Industriezweige mehr oder weniger Beziehungen zum Kunstgewerbe und zur Baukunst unterhalten, je nachdem sie mehr oder weniger selbst Gewerbe, Kunstgewerbe oder wirkliche Kunstindustrie sind oder werden können.

Die Berechtigung irgend einer Industriegruppe, sich des kennzeichnenden Beiwortes »Kunst« zu bedienen, wird verschiedentlich bestritten. Ich bin demgegenüber der Ansicht, daß man der Industrie dieses Recht nicht streitig machen sollte. Es kommt ja, ebensowenig wie bei dem Namen »Deutscher Werkbund«, darauf an, genau die Begriffe durch Worte festzulegen, als vielmehr darauf, daß die Firmen, welche die Bezeichnung »Kunst — Industrie« für sich in Anspruch nehmen, nun auch wirklich etwas zur Veredelung der Industrie und zwar mit Benutzung künstlerischer Kräfte leisten wollen und können. — Von diesem Gesichtspunkte aus betrachtet möchte ich die Industrie in drei Hauptgruppen einteilen, und zwar:

1. solche Betriebe, welche auf Zusammenarbeiten mit künstlerischen Kräften wenig oder gar nicht Wert zu legen brauchen.
2. solche, welche gelegentlich die Hilfe des Künstlers in Anspruch nehmen sollten.
3. solche, die ohne ständige Fühlung mit den maßgebenden künstlerischen Persönlichkeiten gar nicht auskommen können.

Die erste Kategorie umfaßt die sogenannte »grobe Industrie«, deren Erzeugnisse eine nicht in irgend einer Weise zu veredelnde Form haben, sowie vor allen Dingen diejenigen Industriezweige, welche ihre Erzeugnisse an andere Industrien als Materialien zur Weiterverarbeitung

liefern. Als mir naheliegende Beispiele nenne ich hierfür die Farbenfabriken und Jutespinnereien.
Unter Kategorie 2 rechne ich die große Masse derjenigen Betriebe, deren Erzeugnisse zwar zum größten Teil fertig in den Handel kommen, auf deren Form jedoch nur in beschränktem Umfange ein bessernder Einfluß auszuüben ist. Beispiele: viele Zweige der Eisen-, vor allen Dingen die Maschinenindustrie.
Kategorie 3 umfaßt diejenigen Industrien, bei deren Erzeugnissen die äußere Form eine wesentliche Rolle spielt, und bei deren Gestaltung dem Geschmacke des Publikums Rechnung getragen wird. Dazu gehören in erster Linie alle diejenigen Industriezweige, deren Erzeugnisse im Bauwesen, bei Wohnungseinrichtungen, zur Kleidung, zum Schmuck etc. Verwendung finden. –
Auf die unter die ersten beiden Kategorien fallenden Industrien wird eine direkte Einwirkung seitens des »Werkbundes« kaum stattfinden können, da es sich bei diesen lediglich um die Steigerung der Güte des Materials handeln kann, vielmehr wird ein bessernder Einfluß auf diese Industrien durch die zur Kategorie 3 gehörenden auszuüben sein und schon von selbst ausgeübt werden, wenn letztere in vollem Umfange von dem Werkbundgedanken beseelt sind und das Prinzip haben, ihre Erzeugnisse sowohl hinsichtlich der äußeren Form, als auch der inneren Güte zu veredeln.
Die Gruppe 3 ist es denn auch, welche in ihrem ganzen Umfange für die Bestrebungen des Bundes gewonnen werden und welche sich zum Prinzip machen sollte, mit den Künstlern Hand in Hand zu arbeiten. In beschränktem Umfange findet dieses bekanntlich auch schon statt.

Ich erinnere da an gewisse Zweige der Stoff-, Tapeten-Industrie etc., sowie in erster Linie auch an die Linoleumindustrie, der anzugehören ich die Ehre habe, und glaube, an dieser Stelle mit Recht betonen zu dürfen, daß speziell die Delmenhorster Linoleumfabrik den Beweis erbracht hat, daß sich durch verständnisvolles Zusammenarbeiten sehr erfreuliche Resultate erzielen lassen, die nicht allein der besonderen Industrie, sondern auch den allgemeinen Kulturbestrebungen dienen. Ich bin auch fest überzeugt, daß verwandte Industrien sehr wohl daran tun würden, diesen Weg ebenfalls zu betreten. Ich meine sogar, daß sie, wenn leider nicht dem eigenen Triebe, so doch der Not gehorchend, sich früher oder später zu einem ähnlichen Vorgehen werden entschließen müssen. An der Befähigung der Industrie, Qualitätsware liefern zu können, wird man ohnehin nicht zweifeln dürfen, ja, soweit allein die Auswahl guter und geeigneter Materialien in Frage kommt, wird sie auch meist in der Lage sein, sich selbst zu helfen. Erst, wenn das Ringen nach einer besonderen Formensprache für ein bestimmtes Produkt beginnt, wird die künstlerische Mitarbeit unbedingt einsetzen müssen, ohne sie kann auch das schönste und beste Material, durch geschulte Arbeitskräfte und nach den Grundsätzen der vollkommensten Technik hergestellt, selten auf höheren Kultur- und Kunstwert Anspruch machen. Natürlich wird auch der Künstler sich vorher erst mit der Herstellungsweise und den technischen Möglichkeiten vertraut zu machen haben, weil er erst dann in der Lage ist, für den Zusammenklang von Material, Herstellungsart und Verwendungszweck den richtigen künstlerischen Ausdruck zu finden.

Für eben erst neuerstandene oder im Entstehen begriffene Industrie-Erzeugnisse wird man sich den Rat tüchtiger Künstler rechtzeitig zunutze machen müssen. Unterläßt der Industrielle diese Anknüpfung und begnügt er sich damit, in althergebrachter Weise ein neues Produkt erst in den Formen eines bekannten, älteren Erzeugnisses auf den Markt zu bringen, so wird er wahrscheinlich wieder die Erfahrung machen, daß es später, wenn das Unzulängliche der Form für das neue Produkt einmal erkannt worden ist — und das geschieht mit Sicherheit früher oder später doch wohl immer —, meist nicht mehr Zeit zur Umkehr ist. Es wird ihm dann viel schwerer fallen, ein bei den Fachleuten in Mißkredit gefallenes Fabrikat in verbesserter Form wieder unter dem gleichen Namen zu Ansehen zu bringen, als ein noch ganz unbekanntes Produkt neu einzuführen, wenn dafür gleich eine ihm eigentümliche, zweckmäßige und schöne Form gefunden wird. So muß also der Wille zur guten Produktion unter wesentlicher oder ausschließlicher Benutzung der Maschine bei der Industrie in entschiedenem Maße zum Ausdruck kommen. Geschieht das, und zwar unter entsprechend großer Beteiligung der von mir gekennzeichneten dritten großen Industrie-Gruppe, so kann man schon darauf rechnen, daß sich der Weg zum Erfolg finden läßt. Es wird darauf ankommen, möglichst bald die angesehenen und leistungsfähigen Firmen dieser Gruppe für die Bestrebungen des Bundes zu gewinnen, und so sehr ich auch anerkenne, daß die Satzungen für die Aufnahme und den eventl. Ausschluß scharfe Bestimmungen enthalten müssen, so wenig kann ich mir jedoch verhehlen, daß der Bund bei der Aufnahme vorderhand noch Nachsicht wird üben müssen. Er kann nur dann eine wirklich *ausschlaggebende* Macht sein, wenn er diese *dritte Gruppe* in *ihrer überwiegenden Macht* hinter sich hat.

Dann erst wird die im dritten Leitsatz des Bundes als so notwendig hingestellte *Propaganda* und *Organisation* auch zu einem wirklichen und dauernden Erfolg führen können. Man darf nicht vergessen, daß vielen Industriellen ein Systemwechsel – und das würde die geforderte scharfe Betonung des Qualitätsprinzips in vielen Fällen bedeuten –, doch immerhin vorerst recht bedenklich erscheinen wird, so daß man sich einstweilen damit begnügen müßte, wenn der betr. Geschäftsleiter sich zunächst vielleicht verpflichtet nur für den Absatz nach dem Inlande die Bedingungen des Bundes als Richtschnur anerkennen zu wollen.

Wollten die anwesenden Herren Industriellen sich auf Herz und Nieren prüfen, so würde meines Erachtens kaum einer unter uns sein, der sich wirklich sagen könnte: »Ich arbeite jetzt schon ganz nach dem Wortlaut der Satzungen des Werkbundes.« Unser ganzes Fabrikationssystem kann eben nicht im Handumdrehen geändert werden, dazu sind die Anlagen und die erzeugten Mengen zu groß, das Verständnis für Qualitätsware aber beim kaufenden Publikum, wie auch vielfach bei dem vermittelnden Handel noch zu klein. In demselben Maße, wie dieses Verständnis wächst, wird auch die Industrie ihre Produktionsweise ändern können. Sie wird dann auch voraussichtlich mehr wie bisher bei Eintreten von Hochkonjunkturen weise erwägen, ob eine Vergrößerung der Anlage für die Dauer zweckmäßig ist oder ob es ratsamer erscheint, die Zeiten solcher Hochkonjunkturen besser damit auszunutzen, daß man versucht, auch das Exportgeschäft im Sinne unserer Bestrebungen umzugestalten. Durch ein solches Vorgehen wird der Fabrikant auch in sozialer Beziehung mehr den berechtigten Tagesforderungen gerecht werden können.

Daß ein starker Bund bei geschlossener Stellungnahme zu öffentlichen Fragen einen ausschlaggebenden Einfluß auf staatliche und städtische Behörden gewinnen kann, ist außer allem Zweifel. Aber auch sein Einfluß auf große Aktiengesellschaften, Privatunternehmungen aller Art wird nicht zu unterschätzen sein. Ein Mißbrauch solcher Macht erscheint ausgeschlossen, wenn der Bund sich stets seine großen Ziele vor Augen hält. Sind wir dann erst einmal im Inlande tüchtig vorangekommen, so wird auch der Erfolg im Auslande nachfolgen müssen. Inzwischen sollen wir darauf hinwirken, daß alle deutschen Beamten, die im Auslande tätig sind, als Pioniere unserer Anschauung wirken. Gesandte und Botschafter, die draußen ihr Heim zu Stätten modernen deutschen Kunstgewerbes machen können, der deutsche Konsul und seine Beamten, die, wenn mit dem Wesen unserer Bestrebungen vertraut, ihre Arbeit auf Grund dieser Anschauungen verrichten können, sie alle sind berufen, unser Streben im Auslande nachdrücklich zur Geltung zu bringen. Auch wird man sich eifrigst bemühen müssen, alle diejenigen Einrichtungen, welche dem Verkehr Deutschlands mit dem Auslande dienen, also vor allen Dingen die großen überseeischen Dampfer, die Eisenbahnwagen auf den wichtigsten Verbindungslinien zwischen Deutschland und den ausländischen Hauptplätzen für unsere Bestrebungen nutzbar zu machen, und ich würde kein Bedenken darin sehen, wenn man z. B. die großen Schiffahrtsgesellschaften als fördernde Mitglieder in unseren Bund aufnehmen könnte.

Außerordentlich wünschenswert erscheint mir auch ein Zusammenarbeiten mit solchen Organisationen, welche ähnliche Zwecke verfolgen wie der Werkbund, z. B. der Dürer-Bund, der Goethe-Bund, sowie die Gesellschaft zur Verbreitung von Volksbildung und den großen Fachverbänden in Architektur und Gewerbe. Wesentlich gefördert wird die Möglichkeit eines verträglichen Zusammenarbeitens von Künstlern und Industriellen durch Abschluß besonderer Verträge, die beide Teile zu gegenseitigen Leistungen verpflichten. Ich halte ein System, das bislang schon mehrfach angewendet worden ist, wonach eine Fabrik sich für eine bestimmte Zeit die alleinige Mitarbeit eines oder einiger Künstler für ihre Artikel sichert, für durchaus nachahmenswert, hat es doch den Vorzug, daß durch längeres Zusammenarbeiten beide Teile sich besser kennen lernen, das Vertrauen zueinander ständig wächst und man sich vollständig zusammen einarbeitet.

Um vom unlauteren Wettbewerb nicht betroffen zu werden, wird zu prüfen sein, ob die von dem Künstler der Industrie zu liefernden Entwürfe durch das Reichsgesetz über den Urheber-Rechtsschutz genügend geschützt sind. Der unlautere Wettbewerb darf sich nicht eine Lücke des Gesetzes zu nutze machen und Künstler und Industrie um den Erfolg der gemeinsamen Arbeit bringen. Leider ist es gar zu leicht möglich, Entwürfe durch scheinbar unwesentliche Änderungen zu kopieren und

den erwachsenden Schaden dadurch zu vergrößern, daß man Form und Farben für andere Erzeugnisse anwendet, wofür sie nicht gedacht waren und auch gar nicht passen. Damit wird dann der betreffende gute Artikel entwertet und das ganze Streben nach sachgemäßer und materialgerechter Gestaltung illusorisch gemacht.
Sind alle maßgebenden industriellen Firmen im Werkbunde vertreten, so wird diese Tatsache allein schon nützlich wirken, daß alle Angehörigen des Bundes von selbst im Kampfe ums Dasein aufeinander etwas Rücksicht nehmen. In wieweit eine solch nützliche Wirkung durch Zugehörigkeit so vieler erster Künstler zum Werkbund eintritt, will ich nicht untersuchen.
Es wird zu erwägen sein, ob nicht eine Bestimmung getroffen werden soll, wonach Angehörige des Bundes nicht Verträge mit Personen und Firmen schließen können, die dem Werkbund nicht angehören. Es würde ja der Fall eintreten können, daß ein Bundesmitglied gegen die Bundesinteressen dadurch verstößt, daß es seine Gegner unterstützt. Man wird nicht vergessen dürfen, daß der Industrielle ohnehin schon dann und wann ein gewisses Risiko eingeht, wenn er Außenstehenden einen vollen Einblick in seine Fabrikgeheimnisse gewährt, die er oft den eigenen Angestellten gegenüber streng zu wahren pflegt. Ob die Industrie später bei gutem Wirken der Verträge zwischen selbständigen Künstlern und ihr selbst nach und nach auch auf Beschäftigung eigener Zeichner wird verzichten können, muß ich heute dahingestellt sein lassen. Bei eintretenden Differenzen über Auslegung geschlossener Verträge wird zweckmäßigerweise ein Schiedsgericht des Bundes in Wirksamkeit treten können, über

dessen Zusammensetzung das Nähere noch festzulegen sein würde. Daß konkurrierende Bundes-Industriefirmen, sofern sie ähnliche Erzeugnisse herstellen, sich gegenseitig nicht in unfairer Weise bekämpfen dürfen, will ich nur kurz erwähnen.

Das Handwerk wird der Industrie vielfach zur Seite stehen können und darin eine neue, zeitgemäße Aufgabe erblicken müssen, daß es sich bei der Weiterverarbeitung vieler Industrieerzeugnisse als ein Faktor zeigt, der die guten Eigenschaften eines Fabrikates durch gute handwerksmäßige Weiterverarbeitung erst richtig zur Geltung bringt. So muß z. B. die Linoleumindustrie den allergrößten Wert darauf legen, daß ihr für das richtige Verlegen des Linoleums sachverständige Handwerker zur Verfügung stehen. Jeder Fachmann weiß aus Erfahrung, daß noch häufig Verstöße gegen die von verschiedenen Fabriken ausgearbeiteten Verlegevorschriften vorkommen. Teilweise liegt die Schuld dabei allerdings auch auf Seiten mancher Bauleiter, welche in bezug auf den Unterboden manchmal ihre eigenen, aber nicht immer zutreffenden Anschauungen haben. Ebenso wichtig ist die fachmännische Weiterverarbeitung der Lincrusta für Wandbekleidung, bei dem von dem Tapezierer besondere Sachkenntnis und Geschicklichkeit gefordert werden muß. Oft liegt das Schicksal einer Lincrustalieferung auch in den Händen des Malers, der über ihre endgültige Wirkung durch seine Handwerkskunst entscheidet. Auch in Händlerkreisen fehlt in der Beziehung die noch vielfach erforderliche Sach- und Fachkenntnis, und eine regelmäßige gegenseitige Belehrung über solche Fragen zwischen Architekten, Fabrikanten, Handwerkern und Händlern würde viel dazu beitragen

können, dem Qualitätsgedanken mehr Geltung zu verschaffen.

Sehr interessant würde es sein, zu erforschen, wie die
neuen Gebilde des wirtschaftlichen Lebens, als Truste,
Kartelle und Preisverbände ihren Einfluß für die Förderung der Qualität geltend machen. Eine Preiskonven-
tion ist ihrem Wesen nach geeignet, diese unsere Bestrebungen zu fördern. Wer als Fabrikant einem solchen
Verbande angehört wird sich sagen müssen, daß er im
Rahmen einer Preisvereinbarung dann größere Verkaufs-
chancen hat, wenn er zu den festgelegten Preisen
möglichst bessere und schönere Ware verkaufen kann
als sein Konkurrent, der nur allgemeine Durchschnittsware
zu liefern in der Lage ist. Leider zeigt sich bei diesen
einfachen Preiskonventionen aber fast immer, daß sie nur
von kurzem Bestande sind, einmal, weil die Verein-
barungen nicht immer innegehalten werden, das andere
Mal, weil neu entstehende Konkurrenzunternehmungen
zu einer Nachprüfung, d. h. Ermäßigung der Preise
zwingen, und dann die Verbände sprengen.

Von größtem Nutzen für die dem Werkbunde ange-
hörenden Industrien kann das Eintreten der Bundes-
architekten sein, welche selbst Bauten ausführen oder
in ihren Entwürfen für die Bauausführung bis ins kleinste
gehende Bestimmungen für alle zu verwendenden Ma-
teriale aufstellen. Von ihnen erhofft natürlich die Industrie, daß sie bei der Auswahl der Fabrikate diejenigen der Bundesfirmen besonders berücksichtigen und
daß sie notfalls auf Neuherstellung geeigneter Fabrikate
hinweisen werden, falls die Industrie bislang nichts in
der betreffenden Art Befriedigendes liefern konnte. Da-

mit eröffnet sich für den Bund ein weites Feld segensreicher Tätigkeit, auf dem er ganz besonders zu zeigen haben wird, ob er seiner großen Aufgabe gewachsen ist. Unerläßlich erscheint mir dabei ein entschiedenes Eintreten für die Weiterverbreitung des Massivbaues, denn es liegt durchaus in der Linie der Bestrebungen des Deutschen Werkbundes für die zweckmäßige Verwendung der zeitgemäßen Baumaterialien einzutreten.
Wenn in den Leitsätzen des Bundes weiter zum Ausdruck kommt, daß ein Mittelpunkt für fachliche Bearbeitung und schriftstellerische Vertretung des Bundesziels geschaffen werden soll, so bitte ich dabei nicht außer acht zu lassen, daß es der Industrie zweckmäßig erscheinen wird, wenn die wissenschaftlich und künstlerisch gebildete Bundesleitung sich auch eine kaufmännisch gebildete Persönlichkeit für die Mitarbeit sichert, welche auf Grund bereits gemachter Erfahrungen im wirtschaftlichen Leben, speziell in industriellen Betrieben, in der Lage ist, in rein praktischen Fragen die Bundesleitung tatkräftig zu unterstützen.
Was die geforderte Verpflichtung der Bundesmitglieder selbst zur Leistung guter Arbeit anbelangt, so habe ich mich darüber schon anläßlich meiner Ausführungen über die Notwendigkeit einer gewissen Toleranz bei Aufnahme neuer Mitglieder ausgesprochen. Dagegen betrachte ich es für eine, ich möchte sagen »heilige« Pflicht aller Bundesmitglieder, bei den Bestellungen, die sie selbst zu vergeben haben, seien sie groß oder klein und für welchen Zweck auch immer bestimmt, die Grundsätze des Bundes zur Durchführung zu bringen. In der Regel sollten Aufträge also künftighin vorzugsweise nur Bundes-

mitgliedern zugewendet werden, sofern die Branche im Bunde vertreten ist. Die Bedingungen sollten im einzelnen so gestellt werden, daß der Lieferant genötigt ist, im Sinne der Bestrebungen des Bundes seine Arbeit auszuführen. Als weitere Maßnahme zur Hebung des Verständnisses für gute Arbeit müssen selbstverständlich auch fernerhin die Ausstellungen gelten, nur wird es nötig sein, daß sie künftig möglichst nur noch im Rahmen des Bundes und unter Betonung seiner Grundsätze ins Leben treten. Augenblicklich scheint mir des Guten etwas zu viel getan zu werden. Ich denke mir, daß es nötig sein wird, künftig vielleicht alle zwei oder drei Jahre die Leistungen der Werkbundmitglieder in einer Sonderausstellung zur Geltung zu bringen, wobei der Reihe nach die wichtigsten Plätze des deutschen Reiches, gelegentlich auch wohl einmal eine größere österreichische oder schweizerische Stadt Berücksichtigung finden könnte. Wie diese Art Ausstellungen zu arrangieren sind, um besonderen Eindruck auf das Publikum im Sinne unserer Bestrebungen zu machen, möchte ich heute nicht untersuchen, da dies zu weit führen würde.

Für die Deutschland besuchenden Ausländer würde ein ständiges Musterlager der hauptsächlichsten Erzeugnisse der Mitglieder des Werkbundes, und zwar in Berlin oder Hamburg, einzurichten sein. Nach meiner Ansicht würde sich der Ausführer dieses Gedankens um die gemeinsamen Interessen von Industrie, Kunstgewerbe und Handel außerordentliche Verdienste erwerben. Gewiß ein kühner Plan, aber doch einer, der des Schweißes der Edlen wert wäre.

Auch für Förderung des Friedens unter den Völkern

würde es von großem Nutzen sein, wenn es gelänge, die Qualitätsware im Exportgeschäft mehr zur Geltung zu bringen. Jedenfalls hätte der Neid mancher Nationen gegenüber der deutschen Konkurrenz keine Berechtigung mehr, wenn der Wettbewerb mehr auf dem Gebiete der Qualität und Schönheit der Ware, als in den Preisen sich abspielen würde. (Sehr richtig!) Auch das Sichabschließen einzelner Länder gegen den Welthandel durch Prohibitivzölle wäre dann nicht mehr in dem jetzigen Umfange nötig. (Sehr gut!)

Zur Hebung des Verständnisses für gute Arbeit im deutschen Vaterlande selbst bleiben dann noch viele andere Möglichkeiten. Die Industrie würde es beispielsweise aufrichtig begrüßen, wenn durch anschauliche Vorträge seitens berufener Kräfte, d. h. also in erster Linie der Künstler und Fachgelehrten, die Anschauungen über moderne deutsche Kultur immer mehr Verbreitung fänden, damit den Käufern ins Gewissen geredet, zugleich aber auch gezeigt wird, daß mit der Zuwendung zu unseren Bestrebungen durchaus kein außerordentlicher Aufwand an Geldmitteln erforderlich ist, wie dieses vielfach noch immer geglaubt wird. Solche Vorträge müßten vor allen Dingen auch für die Händler der einschlägigen Branchen, für kaufmännische Angestellte, technische Beamte, Ingenieure, Meister, Handwerker und Fabrikvorarbeiter gehalten werden. Es käme nur darauf an, daß die Fabrikanten und Händler ihrem Personale zum Besuch solcher Vorträge die erforderliche Zeit gewähren, damit solche nicht von den Feierstunden in Abzug zu kommen brauchen. Herr Dr. Schaefer in Bremen hat ja in äußerst entgegenkommender Weise bereits eine Serie derartiger Vorträge für Handelsangestellte im Bremer Gewerbemuseum gehalten und wird jedenfalls auf Ersuchen die Liebenswürdigkeit haben, uns darüber noch Näheres mitzuteilen. Ich selbst habe schon Gelegenheit gehabt, den Einfluß dieser Vorträge auf die Zuhörer kennen zu lernen, ich kann nur sagen, daß die Wirkung deutlich erkennbar war. Aufgabe eines jeden Bundesmitgliedes wird es sein, bei allen, auch den kleinsten Einkäufen stets nach den Grundsätzen des Bundes zu verfahren, speziell sich die »Käuferregeln«, welche der Bund zusammenstellt, selbst zum Grundsatz zu machen. Auf weitere Vorschläge möchte ich für heute verzichten, zumal anzunehmen ist, daß der morgige Tag uns noch viel Anregungen bringen und das Arbeitsprogramm des Bundes für das laufende Geschäftsjahr ein sehr umfangreiches werden wird. Die Industrie wird zufrieden sein, wenn sie überall, sei es im Schiedsgericht des Bundes oder bei Bestellung von gerichtlichen Sachverständigen, sei es bei Preisausschreibungen aller Art, in dem ihrer Bedeutung entsprechendem Maße vertreten ist. Das Allerwichtigste scheint mir aber zu sein, für Sachverständige bei allen Behörden zu sorgen, damit der Staat für die von ihm zu vergebenden Arbeiten Qualitätsware zur ersten Bedingung macht und dem Anbietenden einen angemessenen Nutzen für seine Arbeit zukommen läßt. Mit der allseitigen Freude am Erfolg wird dann das Streben, immer besseres zu liefern, Hand in Hand gehen, und die Industrie wird ihrerseits gewiß die Künstler nicht zu kurz kommen lassen, wenn sie erst einmal sieht, daß ihre Mitwirkung zur Erlangung wirtschaftlicher Erfolge wesentlich beigetragen hat.

Ich habe meinen Ausführungen nur noch die Bitte hinzuzufügen, es mir nicht übel nehmen zu wollen, wenn ich da und dort etwas einseitig gewesen bin und verschiedene Verhältnisse nicht so eingeschätzt habe, wie sie vielleicht in Wirklichkeit sind. Ich schließe deshalb mit dem Wunsche, bei der Beurteilung meiner Ausführungen nachsichtig verfahren zu wollen, zumal ich kein berufener Redner bin und nur durch die Not der Zeit und den Wunsch, an ihrer Beseitigung mitzuarbeiten, gedrängt wurde, mich hier, wie geschehen, auszulassen.
Es wird mir eine große Genugtuung sein, wenn einige meiner Auslassungen und Anregungen nicht ganz wertlos sind für die Entwicklung unseres Bundes für die Förderung der gemeinsamen Interessen der in ihm vertretenen Berufskreise und damit vor allen Dingen für die gesunde Weiterentwicklung unserer im Entstehen begriffenen neuen deutschen Kultur. (Lebhafter Beifall.)

VORSITZENDER, HOFRAT PETER BRUCKMANN, HEILBRONN:
Meine Damen und Herren! Nach den Vorträgen der Herren Fischer und Gerike tritt eine Pause von 15 Minuten ein. Dann beginnt die Diskussion. Für dieselbe haben sich bereits zum Wort gemeldet die Herren Riemerschmid und Muthesius. Weitere Wortmeldungen bitte ich schriftlich an den ersten Vorsitzenden gelangen zu lassen.

(Es tritt eine Pause von 15 Minuten ein.)

DISKUSSION

VORSITZENDER:

Meine Damen und Herren! Als ersten Redner in der Diskussion erteile ich Herrn Richard Riemerschmid das Wort.

PROF. RICHARD RIEMERSCHMID-MÜNCHEN:

Wir sprechen heute vom Zusammenarbeiten zwischen Industrie, Handwerk und Kunst, vom Zwang, der in diesem Zusammenarbeiten liegt, und von den Möglichkeiten, die darin liegen. Diese verschiedenen Arbeitsgebiete haben sich in der letzten Zeit einander entfremdet, und sie haben darunter gelitten. Ihre Entwicklung ist stark beeinträchtigt worden; denn sie können einander nicht entbehren. Aber sie haben sich entbehren müssen, und die Folge ist, daß sie sich gegenseitig nicht mehr so kennen, wie sie sich kennen sollten. Sie beurteilen sich untereinander falsch, und was nicht weniger schlimm ist, die Allgemeinheit beurteilt sie und ihr Wirken nicht immer richtig.

Ich möchte Sie bitten, Ihre Aufmerksamkeit besonders auf den Punkt zu lenken, daß gerade die Kunst und die künstlerische Tätigkeit vielfach durchaus falsch beurteilt wird. Das, was in der Vorstellung der meisten Menschen heute Kunst heißt, ist nun allerdings sehr wenig dazu geeignet, zusammenzuarbeiten mit der Industrie und mit dem Handwerk. Schon die Art, wie wir die Bezeichnung Künstler und Kunst verwenden, ist dafür sehr charakteristisch und weist hin auf ganz falsche Vorstellungen. Wir haben daraus eine landläufige Berufsbezeichnung gemacht und so das Wort und seinen Begriffsinhalt entwertet. Maler, Bildhauer, das sind Berufsbezeichnungen. Künstler aber nicht. Das Künstler-Sein, das ist ein Geschenk, das die gütige Natur an ihre Lieblinge austeilt, die Akademie kann diese Bezeichnung nicht verleihen, aber nach dem, wie wir sie gebrauchen, könnte es fast den Anschein haben. Recht bezeichnend ist's, daß unter den Malern diejenigen sich mit Vorliebe und immer wieder »Künstler« nennen, die nicht malen können ⟨Heiterkeit⟩, die ihr Handwerk nicht beherrschen, und ich glaube nicht, daß diese Tatsache aus einer gewissen Selbsterkenntnis hervorgeht, sondern es kommt deutlich die durchaus falsche Vorstellung von Kunst und Künstlertum zur Geltung, die heute eben leider die herrschende ist.

Die Botaniker sprechen, wenn ich recht unterrichtet bin, gerade in letzter Zeit besonders viel von einer Pflanzenseele, und sie tragen immer mehr Beweise dafür herbei, daß man der Pflanze in gewissem Sinne eine Art von Seele zusprechen kann. Wem unter seinen Händen das tote Material lebendig wird, so daß es auch eine solche Art Seele bekommt, und daß es dann wie von selber seine eigenste Form sucht, auf Reize antwortet, wächst und wird, *der* ist ein Künstler! Und noch etwas: Wer die Fähigkeit hat, vor einer Blume oder vor einem gleitenden, glitzernden Wasser in rechte stille Andacht zu versinken — und um gerade noch etwas hier hineinzunehmen — wer die Fähigkeit hat, in eine solche Andacht zu versinken vor seinem Goethe, der nähert sich der Kunst. Wenn einer zur rechten, willigen Hingabe an sein Material fähig ist, wird er bemerken, daß es ihn in seiner Arbeit fördert und stützt. Die Liebe zum Material ersetzt so tatsächlich, freilich nur bis zu einem geringen Grade, einen Teil der künstlerischen Begabung. Das weist darauf hin, daß in der Industrie und und auch im Handwerk vielleicht auch jemand mit geringerer Begabung zu tüchtigen und brauchbaren Ergebnissen kommen kann, die künstlerische Werte an sich tragen. Wenn man die Kunst so versteht, dann wird ohne weiteres deutlich, daß auch unter den Schreinern oder Fabrikbesitzern, oder welchen Stand Sie nur hernehmen wollen, auch »Künstler« sitzen können, und daß unter den sogenannten Künstlern auch die wirklichen Künstler sehr selten sind. Mit solcher Kunst ist aber gut zusammenzuarbeiten, da ist es leicht, da wird's zur Selbstverständlichkeit, und so, meine ich kann eine richtige Vorstellung von künstlerischer Tätigkeit und künstlerischem Schaffen zu einem wichtigen Bindeglied werden zwischen den verschiedensten Gebieten menschlicher Schaffenstätigkeit, und deshalb scheint es mir berechtigt, auf diesen Punkt heute, wo es sich darum handelt, eben diese Verbindung wieder neu zu beleben, nachdrücklich hinzuweisen.

Es gäbe noch ein zweites Kapitel, das könnte handeln von dem gegenseitigen Vertrauen zwischen Industrie, Handwerk und Kunst. Aber dieses Kapitel, hoffe ich, ist überflüssig geworden. Der Werkbund ist ein lebendiges Zeugnis dafür, daß dieses Vertrauen nicht mehr auf sich warten lassen will, daß es tatsächlich schon bis zu einem gewissen Grade vorhanden ist, und es ist mit Sicherheit anzunehmen, daß es weiter wachsen wird.

Nun möchte ich nur noch den einen Wunsch aussprechen,

daß wir möglichst bald von den Worten abkommen und
zu Taten übergehen können, denn mit den schönsten und
mit den besten Worten werden wir nie viel erreichen.
Es kommt mir so vor, wie wenn Eltern ihre Kinder
mit Belehrungen und guten Ratschlägen, also durch Worte
erziehen wollten, statt durch ihr Beispiel und durch ihr
Handeln, damit kommen sie nicht weit, das Arbeiten,
das Machen allein wird es zum Ziele führen.

(Stürmischer Beifall.)

VORSITZENDER:
Das Wort hat Herr Hermann Muthesius=Berlin.

HERR GEH. RAT. DR. ING. HERMANN MUTHE=
SIUS BERLIN (von lebhaftem Beifall empfangen):
Meine Damen und Herren! Die Worte, die wir heute
aus dem Munde der beiden Hauptreferenten vernommen
haben, gipfelten in dem Wunsche der Veredelung der
Industrie. Während der Herr Vorsitzende das Verhältnis
der Industrie zur Kunst auseinandersetzte, hat sich der
zweite Herr Redner über die Mittel und Wege ver=
breitet, die eingeschlagen werden könnten, um jene Ver=
bindung zwischen Industrie und Kunst herbeizuführen,
die uns allen am Herzen liegt.
Es ist nun nicht das erste Mal, daß ähnliche Wünsche
erörtert werden. Bereits in einer Schrift von Gottfried
Semper aus dem Jahre 1851 »Wissenschaft, Industrie
und Kunst« ist das Verhältnis zwischen Kunst und
Industrie eingehend untersucht und daran anschließend
ein Programm für die Verbindung von Kunst und Indu=
strie entwickelt worden. Diese Programmschrift knüpfte

sich an die erste internationale Ausstellung von London 1851 und zog die Konsequenzen, die ein künstlerisch empfindender Mensch aus dieser Ausstellung ziehen mußte. Es waren vernichtende Konsequenzen für den Stand der Industrie. Es ist allgemein bekannt, wie gerade an das Werk des in England weilenden Gottfried Sempers und im besonderen an die genannte Schrift sich eine einschneidende Reform knüpfte, die zum Ziel hatte, das kunstlos gewordene Gewerbe wieder zu heben durch Zuführung von Kunst. Auf das Programm Gottfried Sempers hin sind in den fünfziger und sechziger Jahren des vorigen Jahrhunderts allerorten Kunstgewerbemuseen und Kunstgewerbeschulen gegründet worden mit dem Ziel der Veredelung der gewerblichen Arbeit. Man suchte das Ziel dadurch zu erreichen, daß man die überkommenen Beispiele alter gewerblicher Arbeit als nachahmenswerte Vorbilder betrachtete, die neue gewerbliche Arbeit sollte an die alte wieder anknüpfen, man forderte eine Wiederaufnahme der alten Arbeitstechniken wie der alten Kunstformen. Diese Wiederaufnahme der alten Handwerkskunst ist dann in den darauffolgenden Jahrzehnten tatsächlich in so weitem Maße erfolgt, als sie überhaupt erfolgen konnte. Wir müssen es heute, wo uns nach einer Entwicklung von einem halben Jahrhundert ein teilweise verändertes Programm vorliegt, anerkennen, daß infolge jener kunstgewerblichen Bewegung fast auf allen kunstgewerblichen Gebieten ein erfreulicher Wiederaufschwung genommen worden ist. Wir brauchen nur an Einzelgebiete zu denken, wie an die Kunstschmiederei, die Glasmalerei, die Holzschnitzerei, die Ledertechniken, die Gold- und

Silberschmiedekunst, um zu erkennen, daß man in der Tat von einer Wiedererweckung der alten Handwerkerkunst sprechen konnte. Damals waren die Träger der kunstgewerblichen Bewegung die Kunstgewerbevereine. Sie haben sich im Laufe der Jahrzehnte zu einer mächtigen Organisation, dem Verbande Deutscher Kunstgewerbevereine ausgewachsen, die heute über ganz Deutschland verbreitet ist und 18000 Mitglieder zählt.
Wäre nun der leitende Gedanke nämlich die Veredelung der gewerblichen Arbeit, bei den Kunstgewerbevereinen derselbe wie er heute im Deutschen Werkbund erörtert wird, so möchte es überflüssig erscheinen, neben der alten Organisation noch eine neue zu gründen. Indessen, bei näherer Betrachtung sind die Ziele von damals und heute doch wesentlich verschieden. Die frühere Bewegung war auf anderer Voraussetzung begründet und gelangte zu anderen Schlüssen. Wenn in dem damaligen Programm die Schäden der großindustriellen Entwicklung in derselben tadelnden Weise beleuchtet wurden, wie heute, so lag doch ein Unterschied in der Konsequenz, die man zog. Nach damaliger Ansicht gab es nur eine Rettung für das Handwerk, nämlich die Beseitigung der Großherstellung, die das ganze Unglück über das Handwerk gebracht hatte. Das war namentlich die Lebensüberzeugung der großen englischen Reformatoren Ruskin und Morris. Das Feldgeschrei war: Handwerk contra Maschinenherstellung. Heute haben wir eingesehen, daß wir uns anders zur Großindustrie stellen müssen. Wir haben erkannt, daß es unmöglich ist, die Großindustrie bekämpfen zu wollen und daß ein Programm, welches dieses Ziel hat, ein falsches Programm sein würde.

Denn die großindustrielle Herstellung ist heute auf den allermeisten Produktionsgebieten die zeitgemäße und natürliche Herstellung geworden. Die Handarbeit versorgt nur kleinste Konsumentenkreise von einem Umfange, der, verglichen mit dem Versorgungsgebiet der Großindustrie volkswirtschaftlich kaum ins Gewicht fällt. In der falschen Einschätzung der Großindustrie, die dem Programm von vor fünfzig Jahren zu Grunde lag, war eine Beschränkung und eine Hemmung für die Hebung der gewerblichen Arbeit geschaffen, denn die Hebung erstreckte sich nur auf die handwerkliche, nicht aber auf die großindustrielle Erzeugung. Die Wünsche, daß die großindustrielle Produktion aufhören möge, wurden nicht erfüllt. Sie konnten nicht erfüllt werden, im Gegenteil, die großindustrielle Produktion entwickelte sich weiter und immer weiter, aber sie entwickelte sich unberührt von den Veredlungsbestrebungen des Kunstgewerbes. Ja, die großindustrielle Produktion eignete sich auf falscher Grundlage, die Äußerlichkeiten der kunstgewerblichen Bestrebungen an und produzierte dadurch, vom künstlerischen Standpunkte aus betrachtet, nur um so falscher, weil sie Formen mit der Maschine zu imitieren begann, die früher nur der Handarbeit gehört hatten und aus deren Wesen erwachsen waren. Sie brachte dadurch stilistisch unechte Erzeugnisse hervor. Es braucht nur hingewiesen zu werden auf die Versorgung des kunstindustriellen Marktes mit jenem billigen Massenzierrat, wie gestanzten Blechornamenten, Maschinenschnitzwerk, gepreßten Lederverzierungen und wie die Surrogate und Imitationen der letzten kunstindustriellen Periode alle heißen. Auf diese Weise ist es nun heute von neuem nötig geworden, sich mit der Großindustrie zu beschäftigen, und es ist natürlich, daß unsere heutigen Verhandlungen in dieser Frage gipfeln. Aber die Art, wie wir uns mit ihr beschäftigen, ist neu. Wir sagen uns jetzt: Die Sache muß von einem andern Ende angefangen werden, die Massenproduktion kann nicht beseitigt werden, folglich müssen wir sie heben. Und hierin beruht das eigentliche Zeitgemäße, das Moderne der Idee des Deutschen Werkbundes. (Sehr gut!)

Aber noch aus einer anderen Quelle heraus sind dem Deutschen Werkbunde neue zeitgemäße Aufgaben gesetzt. Uns allen ist bekannt, daß seit zehn Jahren ein heftiger, man kann sagen, ein revolutionärer Impuls im deutschen Kunstgewerbe eingesetzt hat. Der Ursprung dieses Impulses ist, soweit Deutschland in Betracht kommt, zum großen Teil die Großstadt, in der wir heute zu tagen das Glück haben. Es ist München gewesen. Von München aus sind die neuen Ideen im Kunstgewerbe, die sich um 1895 Raum verschafften, ins weitere Land gedrungen, von hier ausgehend hat eine Reihe junger erster Künstler, die ihre ganze Kraft in den Dienst der neuen Ideen stellten, die übrigen Gebiete Deutschlands erobert. Mit diesem erneuten Leben sind aber veränderte Auffassungen und sogar grundsätzliche Begriffswandlungen über das Kunstgewerbe eingetreten. Während sich die frühere kunstgewerbliche Bewegung hauptsächlich mit handhergestellten Einzelerzeugnissen befaßt hatte, ging die neue künstlerische Bewegung einen Schritt weiter und drang bis zur Gestaltung des Raumes vor. Damit hatte sie schon den ersten Schritt in das große Allgemeingebiet des tektonischen Schaffens, die Architektur, getan. Bald folgte eine noch weitere Verallgemeinerung der Ziele. Wir stehen heute mitten in einer künstlerischen Bewegung allgemeinsten Charakters, wir haben unsere Wohnung, unser Haus und unsern Garten zu reformieren begonnen, künstlerische Reformideen haben sich unsrer Bühnen bemächtigt, wo der Tanz, die Szenerie, das Kostüm einer Umwandlung unterzogen wird, die neuen künstlerischen Bestrebungen haben das Buch, das Plakat, das Schaufenster, die Straße, den Friedhof in ihren Bannkreis gezogen, ganze Ortschaften und Städte werden nach geläuterten künstlerischen Grundsätzen angelegt.

So stehen wir heute nicht mehr vor einer eigentlich kunstgewerblichen Bewegung, sondern vor einer Neugestaltung unserer gesamten menschlichen Ausdrucksformen. Es handelt sich um die Unterordnung unseres ganzen sichtbaren Schaffens unter große einheitliche Gesichtspunkte. Es ist das Bestreben vorhanden, alles, was der Mensch gestaltet, rhythmisch und harmonisch zu gestalten. Wir sind aus der kunstgewerblichen Bewegung mitten in eine Bewegung gekommen, die wir in des Wortes höchstem und allgemeinstem Sinne eine architektonische Bewegung nennen müssen. Um die letzten Ergebnisse dieser allgemeinen architektonischen Bewegung kennen zu lernen, brauchen wir nicht weit zu gehen, sie treten uns überzeugend entgegen auf der Ausstellung München 1908. Hier zeigt sich, daß das Kunstgewerbe seine Prätension, sich von dem gewöhnlichen Gewerbe zu unterscheiden, aufgegeben hat, daß die Bewegung sich ausgedehnt hat auf alles, was wir tun und schaffen, daß sie das ganze menschliche gewerbliche Gestalten unter große architektonische Gesichtspunkte gebracht hat.

In diesem Augenblicke nun erfolgt die Gründung des Deutschen Werkbundes: das erweiterte allgemein-tektonische Streben ist der Ideenkreis, der den Deutschen Werkbund erfüllt. Während also die Kunstgewerbevereine Vereine für das Kunstgewerbe waren, ist der Werkbund ein Verein für die architektonische Gesamtidee, ein Verein, man möchte sagen, zur Überwindung des Kunstgewerbes. Die künstlerische Überzeugung, die sich seit dem Neuausgang von vor zehn Jahren eingefunden hat, beseelt alle Mitglieder des Deutschen Werkbundes gleichmäßig, denn der Bund wurde aus dieser Überzeugung heraus gegründet. Das ist ein Vorteil den Kunstgewerbevereinen gegenüber, die aus der früheren Periode des Kunstgewerbes stammen und denen jetzt die schwere Aufgabe zufällt, eine Vermittlung zwischen den sich zum Teil widerstreitenden Überzeugungen der Älteren und der Jüngeren herbeizuführen. Ein erträgliches Weiterleben muß vielfach durch Kompromisse erkauft werden. Aus Kompromissen kann aber nie eine tatkräftige Iniative geboren werden. So kann also als Existenzberechtigung des Deutschen Werkbundes auch der Umstand angeführt werden, daß im Werkbund Gleichgesinnte vereinigt sind, die sich, ohne Worte zu machen, verstehen, die ihre Zeit und Kraft nicht an jene lästigen Auseinandersetzungen zu wenden brauchen, ob die sogenannte moderne Richtung oder die sogenannte historische Richtung den Vorzug verdiene, und wie die unfruchtbaren, weil der reellen Unterlage entbehrenden Streitpunkte des Tages alle heißen. Schließlich kommt noch ein wichtiger Gesichtspunkt in Betracht, daß sich im Deutschen Werkbund ausschließlich Fachleute befinden,

während die Kunstgewerbevereine zum Zweck der Ausbreitung der kunstgewerblichen Gedanken einen großen Bestand von Laienelementen aufgenommen haben. Der Deutsche Werkbund ist eine Organisation von Fachleuten, die das außenstehende große Publikum aufklären, belehren, zum Qualitätsbegriff erziehen will. Der Deutsche Werkbund will durch seine Tätigkeit wie ein Sauerteig im ganzen Volke wirken. (Beifall.)
Aber bei allen Verschiedenheiten, die sich aus dem Wechsel der Zeitumstände von selbst ergeben haben, ist doch der Grundzug des Strebens der alten und der neuen Organisation derselbe, denn beide erstreben die Veredlung der gewerblichen Arbeit. Es war daher ein natürlicher Vorgang, daß von Anbeginn freiwillig von beiden Organisationen heraus der Wunsch laut wurde, sich gegenseitig die Hand zu reichen, ein Zusammenarbeiten auf den wichtigsten Gebieten einzuleiten, zu den Zusammenkünften gegenseitig Vertreter zu entsenden und eine allgemeine Ideen- und Interessengemeinschaft aufzurichten. Und es gereicht mir zur besonderen Ehre, heute im Deutschen Werkbund als Vertreter des Verbandes deutscher Kunstgewerbevereine anwesend zu sein und in dieser Eigenschaft mich an der Diskussion des vorliegenden Programms beteiligen zu dürfen.
Und wahrhaftig, meine Damen und Herren, das Wirkungsfeld, das uns vorliegt, ist groß genug, um beiden Organisationen Raum zur Betätigung zu lassen. Das gemeinsame Ziel der Veredlung der gewerblichen Arbeit auf allen ihren Gebieten ist so gewaltig, daß nicht genug Kräfte aufgeboten werden können. Wir wissen, wie die tatsächlichen Verhältnisse heute liegen. Auf der einen

Seite verfügen wir in Deutschland über eine reiche Fülle künstlerischer Kräfte. Wie reich sie ist, darüber kann uns die Ausstellung, in deren Mitte wir heute tagen, eine Vorstellung geben, denn es ist hier das Kunststück fertiggebracht, eine große Industrieausstellung so zu gestalten, daß uns keine einzige Häßlichkeit entgegentritt, und daß die gesamte Vorführung in einem angenehmen, wohltuenden Rahmen erfolgt. Auf keiner bisherigen Ausstellung war dies der Fall. Aber trotz des günstigen Eindrucks, den eine solche Ausstellung auf uns macht, und den beispielsweise unsere künstlerischen Zeitschriften durchweg hervorrufen, sind wir genötigt, festzustellen, daß auf der andern Seite eine massenhafte Erzeugung künstlerisch minderwertiger Artikel noch täglich und ungestört vor sich geht. Wir brauchen nur einen Blick auf das große Gebiet der Textilindustrie zu werfen, auf die marktgängige Tapetenindustrie, auf die billige Möbelindustrie, auf die Beleuchtungskörperfabrikation, auf die vom Bauunternehmer besorgte Häuserherstellung, und wir sind geradezu erschreckt von der Masse an künstlerisch Minderwertigem, das täglich auf den Markt geworfen wird. Jeder Mensch von Geschmack hat das Gefühl, daß hier eine ungemeine Vergeudung an Material vor sich geht, indem es in unkünstlerische, ja in unpassende Form gebracht wird. Es könnte ebensogut in gute Form gebracht werden, wenn die richtigen Kräfte angerufen würden. Aber es fehlt ein Bindeglied zwischen dem Bestand rein künstlerischer Kräfte, über den wir heute in Deutschland verfügen, und der Produktion, die von diesen Kräften fast noch keinen Gebrauch macht. Es fehlt das gegenseitige Vertrauen zwischen beiden Instanzen, es fehlt eine gesicherte Methode des Zusammenarbeitens. Und hier liegt das wichtigste Betätigungsgebiet des Deutschen Werkbundes, hier ist das Feld seiner ersten praktischen Arbeit gegeben. Es handelt sich darum, diese Methode auszuarbeiten, sie zunächst innerhalb seiner Mitglieder zu erproben und so allmählich zum allgemeinen geschäftlichen Brauch zwischen der Industrie und der Künstlerschaft zu erheben. Würde sich dieses Ziel erreichen lassen, so wäre der erste Schritt zu einer grundlegenden Veredlung der gewerblichen Arbeit getan. Aber Hand in Hand mit der Hebung der Produktion muß die Hebung der Qualitätsansprüche der Verbraucher gehen. Es entsteht daraus für den Deutschen Werkbund die nicht minder wichtige zweite Aufgabe der Propagierung des Qualitätsgedankens durch Wort und Schrift, durch Ausstellung, durch die Erziehung des gewerblichen Nachwuchses und durch alle jene Mittel, die von den Herren Vorrednern schon genannt worden sind. Auf allen diesen Gebieten geschieht ja heute so manches. Wir haben in genügender Anzahl Ausstellungen, wir haben eine Unmenge von Schulen, wir haben ein Übermaß von künstlerischer Literatur. Aber es handelt sich für den Deutschen Werkbund darum, in alle diese Betätigungen höhere Gesichtspunkte zu tragen. Die alltäglichen Interessen machen sich von selbst geltend, es ist nötig, von einer höheren Warte aus diese Bildungsmittel in den Dienst einer Idee zu stellen; es gilt z. B. die Überzeugung allgemein zu machen, daß Ausstellungen ihre Zwecke noch nicht erfüllt haben, wenn sie Verkäufe vermitteln, sondern daß sie erst anfangen, ihre Zwecke zu erfüllen, wenn sie das Verständnis für Qualität und den Geschmack fördern. Es gilt, dem Gedanken Geltung zu verschaffen, daß die Schulen ihre Aufgaben noch nicht restlos gelöst haben, wenn sie der Werkstätte brauchbare Kräfte liefern, sondern daß die Schulen vor allem auch ein höheres Kulturziel im Auge haben müssen, daß ihnen die Aufgabe zufällt, alle guten Keime im Schüler zu entwickeln und in ihm eine Überzeugung aufzubauen, die ihn durch sein ganzes Leben leitet, und die so mittelbar zur Hebung unserer nationalen Kultur beiträgt.

Es sind also veredelnde erzieherische Tendenzen im weitesten und allgemeinsten Sinne, die der Deutsche Werkbund auf seine Fahne schreibt. Mit diesen hat er sich allerdings nach seiner Gründungstagung von manchen Seiten dem Vorwurf ausgesetzt, daß er Ethik statt Kunst- und Gewerbepolitik treibe. Dieses ist namentlich geschehen von Vertretern der Nationalökonomie, einer Wissenschaft, von der behauptet wird, daß sie nichts mit Ethik zu tun habe, daß sie sich rein auf eine statistische Feststellung des Auf und Ab, des Angebots und der Nachfrage zu beschränken habe, und für die das Hereintragen ethischer Gesichtspunkte eine Unklarheit bedeute. Wenn sich die Volkswirtschaft auf diesen rein statistischen Standpunkt stellt, so ist sie mindestens stark ergänzungsfähig. Nachdem die Statistik gesprochen hat, ist es, so will es wenigstens dem Laienverstande erscheinen, eine weitere Aufgabe, die durch sie gewonnenen Resultate in den Dienst der Menschheit zu stellen, sie zur Steigerung unserer Produktion, unseres nationalen Wohlstandes, unserer Kultur zu verwenden. Das Interessengebiet kann sich ebensowenig mit der bloßen Feststellung des Tatbestandes erschöpfen, wie sich die medizinische Wissenschaft darin erschöpft, daß sie feststellt, wie oft und an welchen Orten Cholerafälle vorkommen. Die Menschheit hat auch ein Interesse daran, daß die Cholera geheilt werde.

Aber es ist gar nicht einmal nötig, für das, was der Deutsche Werkbund anstrebt, die Ethik in Anspruch zu nehmen. Es genügt ein viel näher liegendes Prinzip, das sicherlich auch von dem vorsichtigsten Beurteiler unbeanstandet gelassen werden wird: das Prinzip der Nützlichkeit. Es ist ein volkswirtschaftlicher Grundsatz, alle in der Nation vorhandenen Kräfte in der denkbar besten Weise nutzbar zu machen und jede Intelligenz, jede geistige oder materielle Potenz an ihren Platz zu stellen, kurz: alles, was im Volke vorhanden ist, zur nationalen Arbeit heranzuziehen. Gerade das aber, meine Damen und Herren, geschieht heute noch nicht in hinreichendem Maße. Die starken künstlerischen Kräfte, die im deutschen Volke vorhanden sind, sind noch nicht an ihren Platz gestellt, sie tragen noch nicht das, was sie beitragen könnten, zur nationalen Arbeit bei. Es liegen also noch große Kräftegebiete brach, mit denen versucht werden könnte, ein höheres Niveau der nationalen Arbeit zu erreichen, die Qualität der Produktion zu steigern. Nun ist aber gerade Deutschland ganz allein auf die Steigerung seiner Qualität in der Arbeit angewiesen, wenn es anders im Wettkampfe der Völker bestehen will. Ein Land wie Deutschland, das territorial eingeengt ist, dem es verschlossen ist, sich weite Kolonialgebiete zu erobern, wie sie in früheren Zeiten anderen Ländern zugefallen sind, ein Land, das ohne reiche natürliche Hilfsquellen ist und das demgemäß einen großen Teil seiner Rohstoffe gegen teures Geld aus dem Auslande beziehen muß, ist seiner Natur nach darauf angewiesen, sein Schwergewicht auf die intelligente Ausnutzung des Vorhandenen zu legen. Nicht die große billige Massenarbeit, zu der Überfluß an Rohmaterial und billige Hände gehören, ist sein Gebiet, sondern sein Streben kann nur auf Qualitätsarbeit gerichtet sein. In der Qualitätsarbeit allein liegt für Deutschland die mögliche Steigerung des nationalen Vermögens.

Seit unserem wirtschaftlichen Aufschwung von vor vierzig Jahren ist nun auf fast allen Produktionsgebieten eine ganz bedeutende Qualitätssteigerung zu beobachten. Wir brauchen nur an den Aufschwung unserer Maschinenindustrie zu erinnern, unserer optischen, unserer chemischen, unserer elektrotechnischen Industrie, um zu erkennen, wie sich gewaltige Produktionsgebiete aus kleinen Anfängen zu Qualitätsindustrien entwickelt haben. Aber auf dem Gebiete der Kunstindustrie sind wir heute noch weit zurück. Die Kunstindustrie in Deutschland ist noch nicht einmal in der Lage, die Qualitätsanforderungen der deutschen Konsumenten, namentlich in geschmacklicher Hinsicht, durchweg zu erfüllen. Auch die deutschen Konsumenten sind noch vielfach genötigt, ihren Bedarf an qualitativ hochstehenden kunstgewerblichen Erzeugnissen aus dem Ausland zu decken. (Leider wahr!) Würden wir allein dahin kommen, in absehbarer Zeit unseren gesamten nationalen Bedarf, auch den der höchsten Ansprüche, aus unserer eigenen Produktion zu decken, so wäre volkswirtschaftlich bereits ein großer Vorsprung gewonnen. Allein auch damit kann unser Ziel nicht als erreicht angesehen werden. Wir müssen unbedingt im Auge behalten, auch auf dem ausländischen Markte die Qualitätsarbeit allmählich an die Stelle der bisherigen billigeren Exportartikel zu setzen; (Sehr richtig!) denn gerade auf dem Gebiete der Kunstindustrie bestand bisher der deutsche Export vorwiegend aus solchen Artikeln, die sich an die niedrigen Kulturschichten anderer, zum Teil exotischer Völkerschaften wandten. Eine gewisse Brutalität im Geschmack, eine störende Überdekorierung und einige andere unangenehme Eigenschaften schreiben sich hieraus her, sie sind ein ganz natürliches Erfordernis des Marktes, auf den sich der Export geworfen hat. Es fragt sich aber, ob es Deutschland möglich sein wird, auf die Dauer diesen billigen Export aufrecht zu erhalten, ob nicht Völker auftreten werden, die einfach deshalb, weil sie im Besitz billigerer Hände und weniger anspruchsvoller Arbeiter sind, uns von diesem Markt verdrängen werden. Was bleibt uns dann als Volk mit teuren Arbeitslöhnen, als Volk mit einer hohen intellektuellen Bildung übrig? Es bleibt uns nichts übrig, als unser Augenmerk auf die Qualitätsleistung zu richten, auf höchste Verfeinerung und Gediegenheit in allen rein technischen und auf höchstes Geschmacksniveau auf allen künstlerischen Produktionsgebieten. Wenn in der deutschen Kunstindustrie überall das Niveau, die künstlerische Reife und die im besten Sinne nationale Geschlossenheit eingehalten werden wird, die wir mit solcher Freude auf der Ausstellung München 1908 beobachten können, dann können wir guter Hoffnung sein. Dann werden wir nicht nur in- und ausländische Qualitätsforderungen befriedigen können, dann werden wir auch Mittel und Wege finden, mit der

Zeit unsern Export zu veredeln. Dann sind wir endlich auch auf dem besten Wege, zu dem heute so viel erörterten und so sehr herbeigesehnten nationalen Stil zu gelangen.

Meine Damen und Herren! Wir müssen heute einsehen, daß wir einen nationalen Stil nicht dadurch erreichen können, daß wir Deutsche Renaissance-Ornamente kopieren. Wir können einen nationalen Stil lediglich durch ehrliche, selbständige Arbeit erreichen, an der jedes einzelne Mitglied der Nation mitschafft. Ein nationaler Stil ist das Ergebnis der unvoreingenommen auf dem Boden der Zeit stehenden nationalen Arbeit und kann nur auf der eigenen Leistung beruhen. Wenn wir unsern Blick zurückwerfen auf die großen stilschaffenden Perioden des Kunstgewerbes, so erkennen wir, daß stets nur eine ernste nationale Arbeit durch selbständige Leistung Stile geschaffen hat, und daß diese Stile dann gerade infolge ihrer nationalen Selbständigkeit auch zu internationaler Bedeutung gelangten. So leitet die Kunstindustrie Frankreichs das große Vorrecht, das sie bis auf den heutigen Tag auf dem Weltmarkte genießt, im letzten Ende aus der nationalen Arbeit vergangener Jahrhunderte her. Und auch der Einfluß, den England durch seine maßgebende Möbelkunst am Ende des 18. Jahrhunderts auf alle germanischen Länder erlangt hat, ist das Ergebnis ernsten Vorwärtsarbeitens auf der damaligen Grundlage der Zeit. Nicht dadurch sind diese Kunstindustrien zu ihrer weltwirtschaftlichen Bedeutung gelangt, daß sie Fremdes imitieren, sondern dadurch, daß sie Selbständiges erzeugten. Und so ist auch anzunehmen, daß wir in Deutschland mit der Zeit und fast ungewollt, lediglich auf dem Boden einer aufrichtigen, selbständigen, nationalen Arbeit, einen nationalen Stil schaffen und mit diesem dann auch in der Lage sein werden, uns auf dem Weltmarkte eine Stellung zu erobern. Die Imitation kann im höchsten Falle eine Routine bekunden, eine Routine genügt aber nicht zur Begründung eines dauerhaften Ansehens. Für die Dauer ist eins unerläßlich: der geistige Gehalt. Nur der geistige Gehalt kann unserer Arbeit zu einer nachhaltigen Wirkung verhelfen. Nur in dem geistigen Gehalt der gewerblichen Arbeit liegt diejenige Rente für die Zukunft, die uns auf dem Weltmarkt mehr als eine bloß vorübergehende Stellung sichern kann. So erweist sich z. B. das, was Frankreich in jener großen Zeit geleistet hat, heute noch als Rente, es trägt noch heute, wo die schöpferische Kraft zum Teil gar nicht mehr vorhanden ist, dazu bei, dem französischen Markt Absatzgebiet zu gewährleisten, und schafft dadurch dem französischen Nationalvermögen einen außerordentlich ergiebigen dauernden Ertrag.

Nun, diesem geistigen Gehalt der gewerblichen Arbeit wieder Geltung zu verschaffen, das ist auch eines der Ziele, und nicht das geringste, des Deutschen Werkbundes. Wir werden nicht mehr von Richtungen sprechen, nicht mehr von moderner und nicht mehr von historischen Richtungen, sondern wir werden allein feststellen, ob eine Arbeit Gehalt hat, oder ob sie ein Werk der Routine, des Zusammentragens aus anderen Leistungen ist. ‹Sehr gut!› Nur als Arbeit von geistigem Gehalt erfüllt sie den Anspruch der Qualität. ‹Sehr richtig!› Denn die Qualität kann nicht mit der werklichen Gediegenheit erledigt sein, am allerwenigsten auf denjenigen Gebieten, die in erster

Linie mit Schönheitswerten rechnen. Schönheitswerte sprechen aber bewußt oder unbewußt, beim gesamten menschlichen Bilden mit, sie kommen für alles sichtbare Gestalten, für die ganze gewerbliche Produktion in Frage. Auch der Schönheit muß daher ihr Recht, und in vollem Maße, werden. Denn, meine Damen und Herren, auch der dem Menschen angeborene Drang nach Schönheit ist ja nur ein Teil des Dranges nach einer höheren Vollkommenheit. Zur Vollkommenheit vorzuschreiten, muß aber als unser höchstes Ziel gelten, wenn unser menschliches Leben überhaupt einen Zweck und einen tieferen Sinn haben soll.

(Stürmischer Beifall.)

VORSITZENDER:

Es haben sich noch drei Redner zum Wort gemeldet. Mit Rücksicht auf die vorgeschrittene Zeit schlage ich vor, die Rednerliste zu schließen, und ich bitte die Herren, die sich jetzt noch an der Diskussion beteiligen, sich möglichster Kürze befleißigen zu wollen.
Zunächst erteile ich das Wort Herrn Dr. Schaefer-Bremen.

DR. SCHÆFER-BREMEN:

Meine Damen und Herren! Es fügt sich schlecht, nach so hohen, ethischen und von Herzen kommenden, tiefen, guten Worten über die Pläne des Werkbundes von kleinen praktischen Dingen zu sprechen. Darum muß ich Sie bitten, zu verzeihen, wenn ich mich nicht auf dieser Höhe bewege. Ich bin nur apostrophiert von Herrn Gericke, und halte mich deshalb für verpflichtet, ein paar praktische Erfahrungen, die ich beisteuern kann,

mitzuteilen. Ich darf mich auf die Worte des Herrn Riemer=
schmid berufen, der von den Taten sprach, die nun
kommen müssen.
Wir leiden unter dem unangenehmen, wirklich peinlichen
Eindruck, daß wir eine Schar von Künstlern kennen
und lieben, die etwas können, die jeder Aufgabe ge=
wachsen wären, und auf der andern Seite sehen wir das
Publikum, das von diesen Künstlern und ihrem Können
keinen Gebrauch macht, und wir sind die interessierten
Zuschauer, die dieses Verhalten beobachten. Ich denke
z. B. daran, daß die Museumsbeamten gern die Brücke
schlagen helfen möchten zwischen den Künstlern hier
und dem Publikum dort und daß sie nach einem Wege
suchen, wie sie das machen können. Zu den Vorträgen,
die wir soeben gehört haben, möchte ich bemerken, daß
ich sie vollständig unterschreiben kann. Es ist aber sicher
auch die Meinung der Herren, die heute gesprochen
haben, daß es uns an Literatur nicht fehlt. Ich glaube,
was nötig ist, ist mehr die liebevolle Kleinarbeit, die
jeder vor seiner Türe leisten kann, eine Arbeit, die
dazu führt, daß man im Falle von Aufträgen, privaten
wie öffentlichen, die richtigen Leute an die richtige Stelle
setzt, daß man z. B. da wirkt, womit Kunstgewerbe ge=
handelt wird. In dieser Überlegung habe ich seit Jahren
versucht, einen Kursus zustandezubringen von Verkäu=
fern kunstgewerblicher Geschäfte. Das läßt sich in den
Verhältnissen der Stadt Bremen besser machen, als in
der großen Stadt Berlin. Man hat dort leichter persön=
liche Fühlung mit den in Frage kommenden Kreisen.
Dieses Frühjahr habe ich einen solchen Kursus abge=
halten, von dessen Ergebnis und Beteiligung ich sprechen

will. Das Interesse in den Geschäften war ein auffallend lebendiges. Ich hatte mehr eine gewisse Verstimmung und Unfreundlichkeit erwartet, als dieses freundliche Interesse und Entgegenkommen, mit dem meine Anregung aufgenommen wurde. Die Zeit für die Vorträge wurde so bestimmt, wie es diesen Geschäftsleuten am besten lag. Wir setzten sie auf frühmorgens zwischen 8 und 10 Uhr an. Der Kursus wurde besucht von 25 Verkäufern, meist ältere, im Fach erprobte Leute männlichen und weiblichen Geschlechts zusammen und wir unterhielten uns mehr, als daß in doktrinären Weise dociert wurde, über Gegenstände, die ich versuchsweise für geeignet hielt. Als selbstverständlich möchte ich hinzufügen, daß dieser Kursus unentgeltlich für die Teilnehmer gegeben wurde. Man kann in einem Kursus von acht Stunden nicht mehr erreichen, als daß man einige allgemeine Gesichtspunkte gibt und ein Kapitel ausführlicher behandelt. Als solches hatte ich die Keramik vorgenommen, und so ging ich von der einfachsten Töpferei aus bis hinüber zur Porzellanmanufaktur. Ungefähr die ganzen technischen Möglichkeiten an alten und neuen Stücken stellte ich den Teilnehmern dieses Kursus dar, indem ich alles Kunstgeschichtliche möglichst vermied, und vielmehr auf das handwerkliche Verständnis zu wirken suchte. Die allgemeinen Gedanken, die dabei ausgesprochen wurden, und die beständig durch Demonstrationen an alten und neuen Stücken erläutert wurden, betrafen die Wertschätzung der Handarbeit und des Materials, den Unterschied zwischen Fabrikarbeit einerseits und Handarbeit andererseits, deren jede eine andere Schönheit als das Ergebnis ihrer Tätigkeit voraussetzt.

Ich glaube, daß diese Kurse viel Eindruck gemacht haben. Anregungen auf Wiederholung sind zahlreich gekommen und ich vermute, daß es auch in den nächsten Jahren gelingen wird, regelmäßig solche Kurse abzuhalten. Man hat früher an unsern Museen Kunstgeschichte gelehrt, Vorträge über Dürer oder über die Entwicklung des modernen Stils gehalten, und damit gewiß allerlei Nutzen gestiftet. Wertvoller und zeitgemäßer scheint mir die Kleinarbeit zu sein, die in diesem Sinne fördernd wirkt, so kann man Verkäufer oder Reisende der großindustriellen Firmen und viele andere, die in kaufmännischen Geschäften als Angestellte sich bewegen, zu einem allmählichen Verständnis für kunstgewerbliche Arbeit bringen und ihnen dann auch beibringen, daß das Publikum nicht so schlimm ist, wie sie immer sagen. Das wäre eine segensreiche Arbeit. Man hat gesagt und sich darauf berufen, daß das Publikum die Abscheulichkeiten verlange, die wir in unserer Massenindustrie so sehr hassen. Nein, meine Damen und Herren! auf die Fabrikanten kommt es an. Man kann dem Publikum unbedingt klar machen, daß die verkaufte Ware das richtige ist. Man kann es dem Verkäufer überlassen, daß er gute Waren an den Mann bringt. Hat er Liebe für den Gegenstand, den er verkauft und hat er für ihn Verständnis, dann wird er gute Arbeit lieber und leichter verkaufen als schlechte. Es ist das eine Sache, die die Kunstgewerbeschule beschäftigen sollte, es wird sicher notwendig sein, sachkundige Menschen in diese Berufe hineinzuführen, damit Verkäufer, Reisende usw. eine gute Ausbildung bekommen. Es gibt z. B. eine große Menge von Mädchen, die Kunstgewerbeschulen besuchen,

und später nicht wissen, wo sie bleiben sollen. Sie würden ausgezeichnete Verkäuferinnen werden. Auf diesem Wege gilt es praktische Kleinarbeit zu verrichten, die der Sache in erheblichem Maße dienen könnte.
Ich will mich mit diesen kurzen Ausführungen begnügen, damit ich die Zeit nicht aufhalte. (Lebhafter Beifall.)

VORSITZENDER:
Ich erteile das Wort Dr. S. Tschiersky, Syndikus des Vereins der deutschen Textilveredlungsindustrie — Düsseldorf.

DR. S. TSCHIERSCHKY, SYNDIKUS DES VEREINS DER DEUTSCHEN TEXTILVEREDLUNGSINDUSTRIE DÜSSLELDORF
Ich möchte in Ihrem Interesse mich noch kürzer fassen, und zwar bin ich in der angenehmen Lage, das tun zu können, weil die Erwartungen, mit denen ich hergekommen bin, bei weitem übertroffen worden sind. Als Vertreter der Textilveredlungsindustrie, der Druckerei Bleicherei usw. haben wir vor Monatsfrist einen Kongress für Echtfärberei abgehalten, indem allerdings die Industrie überwog. Wir sind auf diesem Kongres, an dem auch hervorragende Kunstgewerbetreibende und Sachverständige teilgenommen haben, nach langen Verhandlungen zu dem Ergebnis gekommen und haben dies in einem Beschluß niedergelegt, daß die bisherigen Mängel der industrieellen Ausführung z. B. inbezug auf die heute ja auch schon mehrfach gestreifte Echtfärberei darauf zurückzuführen sind, daß Kunst und Industrie in den letzten Jahren nicht mehr in der notwendigen Weise zusammen-

gearbeitet haben. Das ist ja auch bereits von den Vorrednern zum Ausdruck gebracht worden. Ich freue mich, hier wo Kunst und Industrie vertreten sind, dies feststellen zu können, daß die Angriffe auf die Industrie, die ich heute hier in viel höherem Maße befürchtet habe, tatsächlich sich in eine allgemeine Harmonie aufgelöst haben, und ich glaube, daß meine Industrien mit den Verhandlungen in dem Sinne eines allgemeinen Zusammenarbeitens vollkommen einverstanden sind, und ich glaube weiter, daß für die Industrie hierbei nur gutes herauskommen kann. Ich bin fest überzeugt, daß die Industrie zu diesem guten Werk — und das ist das Entscheidende — auch für die nationale Wohlfahrt im ideellen und materiellen Sinne das Beste bieten kann und stets die Hand dazu bieten wird, in diesem Sinne mit der Kunst zusammenzuarbeiten. (Stürmischer Beifall.)

VORSITZENDER:
Das Wort hat Herr Friedrich Naumann.

REICHSTAGSABGEORDNETER FRIEDRICH NAUMANN-SCHÖNEBERG:
Geehrte Versammlung! Als wir uns vor zwei Jahren auf der Dresdner Ausstellung über die Lage der deutschen Gewerbekunst aussprachen, fiel gesprächsweise das Wort: »Wir sind in der Mitte von Konstantinopel und New-York«. Ich glaube, man kann, wenn man es etwas übertreibend ausdrückt, die Lage dadurch am leichtesten verständlich machen. Hinter uns liegt jene alte Handwerkerkultur, die man bei uns überhaupt nicht mehr gründlich kennen lernen kann, weil sie hier nur noch in ver-

sprengten Resten — zum Teil noch in vorzüglichen Resten aber doch nur noch in solchen — vorhanden ist. Ich wenigstens muß von mir sagen, daß mir der Begriff »Handwerk« überhaupt erst im Orient ganz aufgegangen ist. Dort, wo die Handwerker noch gassenmäßig beieinandersitzen wie in der alten Zeit in Deutschland. Dort, wo nicht der einzelne Mensch das Handwerk macht sondern die Tradition aller derer, die daran arbeiten und wo jene Summe von Überlieferung vorhanden ist, die nichts fallen läßt, was die Väter einmal gefunden haben, und wo das Auge des einen über der Arbeit des andern ruht, dieses Handwerk alter Art, welches kleine Vorzüglichkeiten schafft. Die, welche es gesehen haben, erinnere ich an die Schuhmacherläden und an die feineren Kleiderläden, die wir im Orient haben, und ich brauche auch nur wieder an Gold- und Silberschmuck zu erinnern, um das nach anderer Seite uns in die Erinnerung zu rufen.
Und auf der andern Seite der Welt, da existiert ein Betrieb, der für diese kleine Tradition und Treue keinen mitgebrachten Sinn hat, eine Art Arbeit, die erst über den Ozean des Vergessens hinübergefahren ist und drüben neu angefangen hat. Und was bringt die fertig? Die bringt fertig eine Vervollkommnung der Werkzeuge, wie wir sie hier bei uns nicht haben. Denn selbst wenn wir stolz sind auf unsere großen Kraftmaschinen, so beziehen wir die Werkzeugmaschinen, wenn wir sie ganz vollkommen haben wollen, noch heute von den Amerikanern. Und so sehen wir drüben den Menschen, der mit der Maschine die Materie zu bewältigen sucht und sozusagen die innere Rotation zwingt, die wunderbarsten Griffe zu tun.

Ich kenne die amerikanische Arbeit nicht aus eigener Anschauung in Amerika, aber wir haben schon genug von ihr hier, um sie beurteilen zu können. Insbesondere haben gewiß manche der Anwesenden ebenso wie ich das amerikanische Haus auf der Pariser Weltausstellung in Erinnerung. Das ist auch eine Kunst. Wir mögen sagen, eine nüchterne, wir mögen vielleicht sagen eine mathematische Kunst, aber in ihr steckt ein so konstruktives Denken und sie weckt so vieles, was der moderne Mensch — der ja auch im übrigen ein rechnender Mensch, ein denkender Mensch ist — in seinem inneren Gefühl hat, daß wir auch von dorther ein Stück Kunst kommen sehen: nicht idyllisch, nicht traditionell, und vorläufig vielleicht noch etwas stoßhaft, vielleicht für verfeinerte Empfindungen auch noch gelegentlich etwas roh, aber doch eben etwas Neues, aus unserer Zeit, unserer Arbeit Geborenes! Und es kommt, ob wir wollen oder nicht, und wir stehen mit unseren deutschen Aufgaben mitten darin.
Wir unterschreiben, was meine Vorredner, Herr Theodor Fischer und Herr Muthesius und die anderen Herren gesagt haben, Deutschland und seine Kunst müsse mit dieser industriellen Entwicklung gehen. Ich meinerseits würde sogar das, was uns diese industrielle Entwicklung bisher auch künstlerisch geboten hat, noch höher einschätzen, als es bisher im heutigen Verlauf der Sitzung geschehen ist, und würde beispielsweise darauf hinweisen, daß die Gewöhnung an größere und weitere Form ohne den Eisenbau überhaupt nicht möglich ist. Viele Gestaltungen, die wir auch hier in der Ausstellung haben, sind überhaupt erst auf dieser neueren Technik für uns ausführbar geworden. Das Auge läuft dem langen Eisen

nach und gewinnt den Blick für neue Weiten, neue Spannungen, neue Formen. Ist es nicht charakteristisch, daß uns hier in der großen Bierwirtschaft der Ausstellung die Eisenkonstruktion in Holz nachgemacht wird aus dem Gefühl heraus, daß in unserer Seele eine Sehnsucht nach dem Eisen vorhanden ist, die irgendwie befriedigt werden muß? (Heiterkeit). Wenn ich durch die Ausstellung gehe, so finde ich auch sonst noch Stellen genug, wo der Grundsatz der Ehrlichkeit, der laut verkündet wird, noch nicht genug in die Praxis umgesetzt ist, indem man Stellen hat, wo sich jedes Auge sagt, daß das Eisen hier so behandelt wird, als sollte man Steine sehen. Wir müssen, glaube ich, unsern Grundsatz von der Materialehrlichkeit nach der Seite noch etwas weiter ausdehnen, so daß wir uns nicht scheuen, die modernen Elemente in ihrer ganzen Nacktheit, Klarheit und, wenn sie wollen, Nüchternheit herzugeben, denn daraus erst können wir jenen Zug zur kontraktiven Ehrlichkeit folgern, der die Hauptüberwindung aller jener alten Schnörkel und Zierate und jenes ganzen Krames ist, aus dem wir glücklich uns einigermaßen nun herausarbeiteten. In diesem Sinne wollen wir die moderne Tätigkeit der Maschine und des Eisens mitten hineinstellen in das gewerbliche Können der Jetztzeit. Ganz richtig — auch in meinem Sinne — hat im Anfang unser Vorsitzender, Professor Fischer, gesagt, die Maschine soll nicht unsere Herrin sein, sondern unsere Dienerin. Wir aber wollen die besten Diener haben, die auf der Welt denkbar sind und müssen unser Augenmerk zunächst darauf richten, diese besten Diener vollständig zu beherrschen, d. h. sie zu beseelen, in die Maschine hinein soviel Gedanken, Seele, Idee, Form, Anschauung hineinzubringen, daß man mit ihr spielend arbeiten kann, wie einst mit den einfacheren Instrumenten einer früheren Zeit. Wenn uns gelingen soll, was Muthesius als neuen Stil kommen sieht, so ist zu sagen, daß dieser Stil nicht kommt, indem man eine Linie erfindet und dann sechstausendmal wiederholt, sondern daß es kommt, indem man diese wirklich neuen konstruktiven Elemente walten läßt überall, wo die Phantasie mit ihnen etwas anfangen kann. (Sehr gut!)

Und wenn darum diese Ausstellung wieder eine Etappe auf dem Wege zu neuem Können ist, so soll sie uns dazu helfen, daß zunächst das deutsche Volk in seinen eigenen Ansprüchen an das neue Können immer entschiedener, feiner und anspruchsvoller wird: Erziehung der Käufer, das Beste haben zu wollen, was deutsche Phantasie mit modernen Mitteln herstellen kann, das ist die erste große volkspädagogische Aufgabe des Werkbundes.

Fast möchte ich sagen, wir wollen dahin kommen, daß wir keine Ausstellung mehr brauchen, weil das Volksleben selbst eine beständige, eine selbstverständliche Ausstellung dessen ist, was die deutsche Kunst hervorbringt. (Beifall.) Wenn heute die Fremden zu uns kommen, dann führen wir sie erst durch eine Masse Hotels und andere Geschichten, wo sie das nicht sehen, was wir können, und dann müssen wir sie noch in die besondere Ausstellung hineinführen, damit sie sehen, was wir können. (Große Heiterkeit und Beifall.)

Darüber müssen wir hinweg, und dazu gründen wir die Genossenschaft — nicht der Könnenden (denn wer ist

das?), sondern die Genossenschaft derer, die miteinander das Können suchen. Ich drücke mich nicht aus: die die Kunst suchen, weil das Wort »Kunst« zu sehr in die Bibliotheken gegangen ist. (Heiterkeit.) Wir wollen auch nicht alle möglichen Künstlichkeiten suchen, sondern frei von dieser Art Kunst soll es uns zur Natur werden, daß die Leute bei uns etwas Richtiges, Ordentliches, Großes, Freies und Lebendiges wollen und wirken können.
Daß dazu Gemeinschaft notwendig ist, das ist der Gedanke des Werkbundes. Das will zwar gewöhnlich derjenige nicht Wort haben, der selbst viel kann, denn er hat nur das Gefühl, daß er es macht, daß sein Ich es ist. Aber was ist denn die einzelne menschliche Seele? Sie ist doch schließlich nur ein Sammelbecken, in dem sich eine Zeitlang Strömungen, Unternehmungen, Vorstellungen sammeln, die tausend andere schon zusammen gehabt haben. Und auch der hervorragende Könner, in dem sich vieles sammelt, er ist doch schließlich Produkt aller derer gewesen, die mitgesammelt haben. So wenig es in der Wissenschaft einen Menschen gibt, der für sich allein die Wissenschaft enthält, — denn die Wissenschaft ist größer als er, sie war vor ihm, und sie ist nach ihm, er wird in sie hineingeboren, und er stirbt, und sie geht über ihn hinweg, und daß er darin gewesen ist, das ist seines Lebens wirkliche Leistung — so wenig gibt es in der Kunst die ganz isolierte Einzelleistung. Die Kunst läuft ihren Weg, und bei etlichen verdichtet sie sich. Damit sie sich aber verdichten kann, muß die Gemeinsamkeit vorhanden sein. Einer der größten Mängel der Zeit, die hinter uns liegt und die wir überwinden wollen, das ist der Traum von der bloßen Individualität für sich allein,

von dem Gedanken, als könnte jemand ursprünglich allein irgendwo auf einer Insel originale Kultur aus sich und seiner armen Seele herausholen. Das gibt es nicht. Und dies Gefühl für die Gemeinsamkeit des Schaffens zu wecken, zu beleben und durch die Praxis bei Einzelnen eindringlich zu machen, dazu machen wir diese Genossenschaft und denken, mit dieser Genossenschaft nicht nur jenes ideale Ziel zu fördern, daß wir vielen Leuten für ihr Leben und ihre Behausung einen besseren Lebensinhalt geben. Auch das wollen wir. Gewiß, denn — nicht wahr —? alle die Arbeiten, die hier ausgestellt sind, kommen doch zu Menschen, die diese Dinge gebrauchen sollen, und daß es auf diese Menschen nicht heute und morgen und übermorgen, sondern bis auf ihre Kinder hinein einen Eindruck macht in Dingen zu leben und zu weben, die aus wirklichem Können hervorgewachsen sind, dieser zunächst einmal individuelle idealistische Zweck steht im Vordergrund unserer praktischen Arbeit. Aber die volkswirtschaftlichen Zwecke, von denen Muthesius geredet hat, halte ich für ebenso wichtig und unterschreibe meinesteils, was er gesagt hat. Wir Deutsche können gar nicht mit billiger Massenarbeit auf die Dauer eine führende Rolle in der Volkswirtschaft haben, denn das können andere leichter wie wir. Aus zwei Gründen leichter. Einmal, weil viele von den anderen Völkern viel mehr Materialien im eigenen Lande haben wie wir, und zum andern, weil man unter manchem anderen Klima sehr viel billigeren Schund herstellen kann, als man ihn in Deutschland herzustellen vermag. Es ist doch ein Jammer, wenn wir ein Volk haben, an dessen Erziehung wir so viel gewendet haben, wo wir uns bemühen, aus dem Einzel-

menschen etwas zu machen und den Leuten soviel beizubringen und ihnen dann zu sagen, ihr macht künftig nur die schlechtesten Strümpfe für die Brasilianerin, die kaum die Seeversicherung wert sind. (Heiterkeit.)
Diese Art, die Volkswirtschaft zu betrachten, bringt uns nicht in die Höhe, sondern, was bezahlt wird in der Welt, ist niemals die bloße tote Arbeit an sich, denn die bloße tote Arbeit sinkt immer wieder auf den denkbar niedrigsten Preis, weil der niedrigste Mensch sie auch machen kann. Für die bloße tote Arbeit gilt, was Lasalle seinerzeit das »eherne Lohngesetz« genannt hat, jenes Gesetz, daß der Bedürfnislosere den beiseite drückt, der höhere Bedürfnisse hat. Für die Arbeit mit dem Geist gilt das aber nicht. Der andere kann sie nicht machen, denn er kann den Menschen nicht nachahmen, der den notwendigen Geist dazu hat, und wenn wir Deutsche etwas hineinbringen in die Weltkultur, dann ist es diese Arbeit, gegründet auf höchstes Können. Wir haben keine Baumwollplantagen, keine Kaffeefelder, die wir selber bearbeiten können, wir haben kein eigenes Gold, aber wir haben ein Menschenmaterial, mit dem sich Ungeheures machen läßt, wenn es mit seinem treuen Fleiß auf die Bahn gebracht wird, zu tun, was es tun kann. (Sehr gut!)
In diesem Sinne, verehrte Anwesende, sollen die Deutschen formgebend werden, weil, wenn sie der Welt ihre Form aufprägen, sie auf Jahrhunderte hinaus Kunden gewinnen. Wer den Leuten einen vorübergehenden Schund bietet, der verkauft heute an sie, und es kommt in zehn Jahren jemand aus Alexandrien und bietet ihnen dasselbe, und sie kaufen es bei jenem. Wer aber etwas

bietet, was Qualität im höheren Sinne des Wortes ist, dem bleiben die Kunden treu, teils aus Verstand, teils aus Ehrgefühl. Wenn wir nämlich jenes Renommée einmal auf uns konzentrieren können, was Paris beispielsweise hat, so wird dieses Renommée, wie Muthesius sagte, eine Rente sein für Kind und Kindeskind. Und darum: wir arbeiten in der Schule dieser verfeinerten Industrien und Fabrikation zugleich volkswirtschaftlich im großen Stil, wir können es aber nur, wenn wir die ganzen an der Arbeit beteiligten Menschen auf die Höhe heben, daß wir mit ihnen vollkommene Arbeit machen können. Und da komme ich auf die Frage von der Ethik, von der Moral und von der Volkswirtschaft.

Wenn es Volkswirtschaftler gibt, die gegen das Wort Moral mißtrauisch sind, so verdenke ich ihnen das nicht, weil man mit dem Wort gerade soviel Unfug getrieben hat, wie mit dem Wort Kunst, und infolgedessen ist mancher vorhanden, der von dem Wort überhaupt nichts mehr wissen will. Drücken wir uns also weniger allgemein aus und sagen wir: das, was wir in erhöhtem Können erstreben, geht gar nicht, ohne daß man gleichzeitig die Arbeit unter einen sittlichen Gesichtspunkt stellt. Aus folgenden Gründen: Nichts wirklich Neues wird gefunden ohne Opfer. Die Menschen, die wirklich etwas Neues schaffen in der menschlichen Arbeit, tun das im ersten Augenblick niemals, um sofort damit zu verdienen, denn dann würden sie im ersten Augenblick etwas anderes tun, dann würden sie im ersten Augenblick etwas Landläufiges tun, was bereits einen Markt hat. Der Mann, der erst für die Zukunft arbeitet, der tut es mit dem Bewußtsein: ich will einmal meine Gedanken

ausprägen, ich will Opfer bringen um einer künstlerischen
oder sachlichen Idee willen. Und so ist der Fortschritt
gar nicht denkbar ohne dieses sittliche Element der
persönlichen Opferbereitschaft.

Es geht auch die Erziehung zum gewerblichen Können
nicht ohne ein sehr großes Vertrauen aller beteiligten
Kreise untereinander. Das wurde schon einmal hier berührt. Ich will eine oder zwei Seiten davon hervorheben.

Der Käufer muß Vertrauen haben zu dem, der verkauft,
weil er selber ja gar nicht imstande ist, die Qualitäten in
dem Augenblick, wo er kauft, abzuschätzen. Nehmen Sie
allein das, was hier erwähnt wurde über die Färbungen!
Welcher Käufer weiß denn, wie das Rot in sechs Jahren
aussieht oder nicht aussieht? Das ist Vertrauenssache. Und
wenn man kein Vertrauen hat zu diesem ganzen Betriebe des Kunstgewerbes, sondern ihn nur für einen All-
tagsprofit ansieht, so wird das Publikum niemals jene
Sicherheit bekommen, um von selber, sozusagen wie im
Traum, zu denen zu gehen, die zum Werkbund gehören. Darum brauchen wir jenen Charakter von Gediegenheit und Echtheit in der Arbeit und in der Ge-
sinnung, der sich dem Publikum als etwas Unverlierbares von selber einprägt. Wir brauchen Achtung vor
der Materie, und auch das nenne ich sittlich, daß man
den Stoff nicht verschludert und verschleudert, sondern
es sozusagen für ein moralisches Unrecht gegenüber edlen Materien ansieht, wenn man etwas Schlechtes und
Schäbiges aus ihr macht: ein Pflichtgefühl dem Stoff
gegenüber, den man in Händen hat! Dann wachsen
sie beide miteinander, der Stoff und der Mensch, der
in ihm arbeitet, und die Arbeit wird nicht mehr ein

totes Kurbel-Drehen, sondern ein lebendiger Verkehr mit den Dingen.
Dazu gehört vor allem auch, daß die, die mitarbeiten an dem großen Qualitätswerk unseres Gewerbes, sich untereinander achten. Dabei rede ich nicht nur von Künstlern und Unternehmern, die unter Umständen imstande sind, sich ihre Achtung gegenseitig zu erzwingen, wenn sie nicht als freiwillige Gabe geboten wird, sondern ich rede davon, daß der ganze Stab von Mitarbeitern, Angestellten, Verkäufern, Technikern, Vorarbeitern, Arbeitern, Hilfsarbeitern diese Achtung als ein unverlierbares Gut genießen soll; denn sie gehören alle dazu, damit überhaupt etwas Großes fertig werden kann. Was würden unsere heutigen Künstler leisten können, wenn unsere Arbeiter noch mehr leisten könnten! Denn – nicht wahr – wenn der Künstler dasitzt und seine Entwürfe zeichnet, da hat er immer im Kopf die Menschen, die das machen müssen, und ich möchte wissen, an wieviel Stellen hier versammelte Künstler schon bei sich gesprochen haben: das wäre ganz gut und könnte so bleiben, aber die Kerle verpfuschen es mir doch in der Arbeit, und darum mache ich es nicht. (Sehr richtig!) Und deshalb: je tiefer das Vertrauen sein kann in das Können aller Mitarbeiter, desto mehr kann im ganzen geschaffen werden!
Wir brauchen uns auf diesem Gebiet alle gegenseitig und so stelle ich mir auch vor, daß die Werkbundbestrebungen ganz von selbst auch der Arbeiterfrage gegenüber einen Fortschritt bedeuten müssen, denn es ist undenkbar, in der gewerblichen Vervollkommnung etwas Großes, Dauerndes zu erreichen mit den Grundsätzen, nach denen man allenfalls in einem Kohlenberg-

werk die Arbeiter behandelt, wo man einfach Wagen nullt, wenn nicht genug darin ist, und den Mann wegschiebt, wenn er darüber murrt und was dergleichen mehr ist. So läßt sich Kunstgewerbe niemals machen, sondern es läßt sich nur machen mit der Anerkennung des Lebendigen in dem Menschen, mit dem man zu arbeiten hat. Und wenn man hier auch gar keine Sozialpolitik treibt im engeren Sinne des Wortes und alles Gesetzliche und Organisatorische uns hier fernliegt, so wird der Werkbund, wenn er gedeiht, eine Stufe sein müssen, von wo aus die Achtung vor der Arbeit in die Volksseele hineingetragen wird (Beifall), und wo die Fragen der Erziehung der Mitarbeitenden sehr ernst genommen werden. Die alte Handwerkserziehung geht mehr und mehr zu Ende oder reicht wenigstens längst nicht mehr für die neuen Bedürfnisse. Wie erzieht man im neuen Gewerbe die jungen Menschen, daß sie Lust zu der Arbeit haben, daß sie mit Freude daran schaffen und ihnen selber etwas daran liegt? Dieses ganze pädagogische Problem, an dem unser Freund Kerschensteiner arbeitet, zu dem die Frage gehört, »was lehrt die Volksschule den Leuten?« — diese Frage, die Menschen dazu zu bringen, daß sie im Großbetriebe doch wieder Menschen sind und zwar Menschen, die an ihrer Arbeit ein eigenes Vergnügen haben und mit in die Höhe kommen — nennen Sie das moralische Dinge oder nennen Sie das sonstwie: es gehört mit zu dem heutigen Thema der Veredlung der gewerblichen Arbeit! (Sehr wahr!) Wer etwas von Kunst versteht, der weiß, daß die Vollendung meist in der Nuance liegt, in der letzten Abschätzung, der Linie, der Farbe, und wer die

Technik versteht, der weiß, daß die Technik meist im Zentimeter und Millimeter liegt, in der letzten Anpassung an das Vollkommene und in diesem selben Sinne liegt in den Nuancen der Menschenbehandlung das, wodurch die Kunst im Gewerbe erst vollkommen auf die Höhe gebracht wird. Und so stelle ich mir vor, daß der Werkbund in seiner gegenwärtigen Entwicklung ein großes und gutes Erziehungsinstitut und eine Wirtschaftskraft sein wird für unser Volk!

Es wechseln, verehrte Anwesende, im Lauf der Zeiten die Aufgaben, die die Nation hat. Wir haben ein literarisches Zeitalter gehabt, ein Zeitalter, wo jedes neue Gedicht ein Ereignis war. Von da ab haben wieder viele Menschen schlecht gedichtet. Aber es ist doch etwas Unverlierbares übrig geblieben, nämlich, wir wissen, wie es ist, wenn's einer gut macht, und wir haben dann ein philosophisches Zeitalter gehabt, die Dichter unverlierbarer Gedanken, Kant, Fichte, Hegel, die über die Köpfe hinweg und über die Jahrhunderte hinaus den Gedanken geführt haben. Nicht jeder denkt so, wie wohl Kant und Fichte gedacht haben. Aber es ist eine Erinnerung geblieben, daß es ein großes deutsches Denken gibt, und für jede neue deutsche Jugend ist es ein unverlierbarer Wert, daß wir das einmal gehabt haben. Wir haben eine Zeit neuschaffender Politik gehabt unter Bismarcks Führung. Nicht alles, was heute geschieht, ist in demselben Sinne neuschaffend. Aber wir haben eben doch noch etwas von der Linie übrig, mit der jener Mann seine Striche gezogen hat. Nun haben wir ein Zeitalter großer Technik im Bau der großen Maschinen gehabt und einer meiner größten Eindrücke in dieser Hinsicht

war auf der Pariser Weltausstellung die riesige Dynamomaschine, mit der die Deutschen alle anderen zur Bewunderung hinrissen. Können wir nur das? Oder kommen wir nun in die Periode, wo wir in die Fertigfabrikation eintreten und dort auch ein solches Zeitalter bekommen? Die Geister wachen auf und es ist eine Lust zu leben. Es entstehen Künstler hie und da und dort und ein neuer Stuhl ist wie vor hundert Jahren ein neues Gedicht. ⟨Heiterkeit⟩ Und es werden viele Leute auch später noch schlechte Stühle machen, sie haben aber in der Erinnerung behalten, daß es eine Periode gegeben hat, in der wir einmal gute Stühle gemacht haben, und an dieser Periode einer neuschaffenden deutschen Gewerbekunst mitzuschaffen, das scheint mir, das ist das Glück unserer Geschichtsentwicklung, an welcher der Bund mitarbeiten soll, der jetzt in diesen Tagen hier eigentlich erst richtig ins Leben tritt.
⟨Stürmischer, langanhaltender, immer wiederholter Beifall.⟩

VORSITZENDER:
Meine Damen und Herren! Nach diesem Erlebnis erübrigen sich weitere Worte. Ich schließe die Versammlung mit dem allerherzlichsten Dank an unsere Redner und an alle unsere Gäste!

DIE HERANBILDUNG DES GEWERBLICHEN NACHWUCHSES

(Geschl. Mitgliederversammlung, Vormittagssitzung.)

VORSITZENDER PROF. TH. FISCHER:
Ich eröffne die geschlossene Sitzung des Deutschen Werkbundes und begrüße die Herren Vertreter der Regierungen von Bayern, Preußen, den Herren Vertreter des Reichsamts des Innern sowie die besonders geladenen Gäste.
In die Tagesordnung eintretend, erteile ich nun das Wort Herrn Wolf Dohrn-Dresden.

HERR DR. WOLF DOHRN-DRESDEN:
Geehrte Versammlung! Die Frage der Erziehung des gewerblichen Nachwuchses gehört zu den wichtigsten, die wir im Werkbund überhaupt zu behandeln haben. Sie ist auch eine der wichtigsten, die in dem heutigen Gewerbe erörtert werden. In allen Fachvertretungen der Industrie, besonders in allen Industrien, die mit gelernter Arbeit zu tun haben, steht das Problem der Erziehung des gewerblichen Nachwuchses im Vordergrund; denn überall hört man die Klage, das es an tüchtigen Arbeitskräften mangle, und allenthalben herrscht die Überzeugung, daß in der Erziehung des Nachwuchses etwas geschehen müsse. Weniger einig ist man freilich über die dabei zu ergreifenden Maßregeln.
Der jetzige Zustand ist, daß sich Staat, Stadt und Gewerbe in die Aufgabe der Erziehung des gewerblichen Nachwuchses teilen. Die großen Umwälzungen des Wirtschaftslebens im neunzehnten Jahrhundert zerstörten nicht zum wenigsten die Tradition einer durch das Gewerbe

selbst bewirkten Erziehung seines Nachwuchses. So sah sich der Staat vor die Notwendigkeit gestellt, zu versuchen, was das Gewerbe versäumt hatte. Die Behörden haben sich bemüht, zunächst einmal festzustellen, wie die Dinge liegen und daraufhin eine Schulorganisation durchzuführen. Jahr für Jahr hat sich das Problem aber mehr in den Vordergrund gedrängt. Je mehr man es erforschte, um so schwieriger erschien seine Lösung. Dabei gewann es immer mehr an Bedeutung, besonders im Zusammenhang der Entwicklung des Gewerbes und der Zunahme der Fertig=fabrikation mit ihrer Nachfrage nach gelernten Arbeitern Die Frage ist also dringend geworden. Und zwar hauptsäch=lich deshalb, weil die Industrie sich anfangs um die Erziehung eines Nachwuchses überhaupt nicht gekümmert hat, weil die Zeiten einer schrankenlosen Konkurrenz, des Kampfes aller gegen aller, keinen Sinn hatte für eine Aufgabe die in erster Linie Gemeinsamkeit des Handelns und gegen=seitiges Verantwortungsgefühl und Gemeinsinn zur Vor=aussetzung hat.

Auch ist das Problem in der Tat eines der schwierigsten, die überhaupt behandelt werden können, denn zu all den Schwierigkeiten, die wir gestern erörtert haben, als von der Veredlung der gewerblichen Arbeit überhaupt gesprochen wurde, kommen die Sonderschwierigkeiten hinzu, die eine planmäßige Erziehung im großen über=haupt in sich birgt. Alle Erziehung ist im innersten Kern Sache der Persönlichkeit und des Einzel=Menschen, nicht aber Sache der Organisation und des Systems und doch läßt sich die Gegenwart nicht anders zwingen und beherrschen als durch System und Organisation. Wie also löst sie das Erziehungsproblem?

Wir haben es also nicht nur mit einem der wichtigsten, sondern auch mit einem der schwierigsten Probleme zu tun, die wir überhaupt behandeln können. Deshalb haben wir uns veranlaßt gesehen, den Stier bei den Hörnern zu packen und gleich bei der ersten Jahresversammlung des Deutschen Werkbundes die Erörterung dieses Problems auf die Tagesordnung zu setzen. Doch haben wir uns nicht entschließen können, Ihnen fertige Leitsätze oder gar ein vollständiges Programm vorzulegen. Der Ausschuß war vielmehr der Meinung, daß es richtiger sei, verschiedene Standpunkte zu Worte kommen zu lassen und erst auf Grund der sich anschließenden Diskussion eine Denkschrift auszuarbeiten.
In dieser Absicht sind für dieses Thema drei Referenten bestimmt worden. Sie sollen von verschiedenen Standpunkten das Thema beleuchten. Unser zweiter Vorsitzender, Herr Bruckmann, wird aus den Erfahrungen der Großindustrie heraus das Thema behandeln. Herr Rudolf Bosselt wird aus den Erfahrungen der Kunstgewerbeschule, des Lehrers und Künstlers, seine Vorschläge und sein Programm in dieser Frage entwickeln. Ich selbst beschränke mich darauf, die Leitsätze zu erläutern, die in dem geschäftsführenden Ausschuß ausgearbeitet worden sind.
Die Leitsätze von denen ein Exemplar Ihnen in der Mappe zugestellt worden ist, gehen von der Grundanschauung aus, daß die Erziehung des gewerblichen Nachwuchses nicht lediglich und allein eine Schulfrage sei und ich glaube, diesen Standpunkt von vornherein in den Vordergrund rücken zu sollen, weil in allen Erörterungen bisher naturgemäß die Schulfrage den breitesten Raum

eingenommen hat. Man vergißt, daß eine gute Erziehung des Nachwuchses weniger abhängt von ausgearbeiteten Lehrprogrammen, auch nicht so sehr von guten Lehrern, — so notwendig die auch sein mögen — sondern in erster Linie davon, das ein gutes Gewerbe da ist, das imstande ist, den Nachwuchs in sich aufzunehmen und durch das Vorbild guter Arbeit weiterzubilden. Dieser Punkt des Erziehungswesens wird in den meisten schriftlichen und mündlichen Erörterungen übersehen. Man glaubt vielmehr, die Erziehungsfrage ließe sich gesondert behandeln, loßgelöst von dem Zustand und der Entwicklung des Gewerbes überhaupt. So kommt man dazu, Schulprogramme und Schulordnungen zu entwerfen, zu ändern und wieder zu ändern, Schulen auf Schulen zu gründen, um sich schließlich doch sagen zu müssen, daß die Schulen nicht den Erfolg gehabt haben, den man vor ihrer Gründung erwartete. Das ist und muß sein, das Resultat aller Erziehungsversuche, welche den Kernpunkt der Frage, die Leistungsfähigkeit des Gewerbes selbst, nicht erfaßt haben.
Auch sonst wird manches übersehen oder doch nicht so eingeschätzt wie es sein sollte. Beispielsweise die Frage der Betriebsform eines Gewerbes, inwieweit Handwerksbetrieb und großindustrieller Betrieb und inwieweit Arbeitsteilung herrscht u. a. m. Es leuchtet ein, daß die Betriebsformen die Gestaltung der Arbeit und damit die Ausbildungsmöglichkeiten jugendlicher Arbeiter nachhaltig bestimmen. Besonders wichtig erscheint auch die Frage, ob immer die rechten Lehrlinge zu den rechten Meistern kommen und dergleichen mehr. Alles dies gehört zur Heranbildung eines guten Nachwuchses, hat

aber mit der Schulfrage in engerem Sinne noch nichts zu tun.
Je mehr aber im Laufe der letzten zehn Jahre diese Seite der Sache vernachlässigt wurde, um so mehr ist die Schulfrage in den Vordergrund getreten, so daß schließlich das Erziehungsproblem zusammenschrumpfte in die Frage des besten Schulsystems und der besten Lehrpläne.
Für uns nun ist das ganze Problem noch dadurch erschwert, daß es sich nicht bloß um die Erziehung des gewerblichen Nachwuchses im allgemeinen handelt, sondern daß die Erziehung des Nachwuchses im Kunstgewerbe zur Erörterung steht. Wäre dies lediglich Sache einer guten technischen Erziehung, so könnte man sagen, die Tüchtigkeit des Gewerbes wird von selbst das Nötige leisten. Es kehren aber hier alle Schwierigkeiten wieder, die wir gestern erörtert haben, nämlich: wie es möglich ist, ein technisch leistungsfähiges Gewerbe soweit künstlerisch zu heben, daß es seine Aufgabe auf diesem Gebiet erfüllen kann, daß es seinen Nachwuchs heranzieht, nicht bloß zur technischen Mitwirkung an der Arbeit, sondern, daß es ihn vor allen Dingen auch soweit geschmacklich schult, als es die Kultur unseres Volkes von seinem Gewerbe verlangt.
Diese Grundgedanken waren bei der Aufstellung der Leitsätze maßgebend. Die ersten Leitsätze lauten:
1) »Die Erziehung des gewerblichen Nachwuchses soll in der Hauptsache Angelegenheit des Gewerbes selbst sein. Der Staat hat nur dann einzugreifen, wenn die höheren Gesichtspunkte jeder Erziehung über der Verfolgung nächstliegender Wirtschaftsinteressen vernachlässigt wer-

den. Soweit dies der Fall ist, hat der Staat die Pflicht, im Interesse der Gesamtheit und der Zukunft des Gewerbes die Erziehung zu übernehmen. Klagt das Gewerbe über Schäden des staatlichen Schulwesens, so mag es mit der einzelnen Klage im Recht sein, im ganzen aber hat es in erster Linie die Schuld sich selbst zuzumessen, denn ein Gewerbe, das seine Erziehungsaufgaben aus eigenen Kräften erfüllt, macht von selbst die Schulen des Staates überflüssig.

2) »Der wahre Fortschritt im gewerblichen Erziehungswesen bemißt sich daher weniger nach der Gründung neuer Schulen, als nach der Verschmelzung der bestehenden mit einem leistungsfähigen und entwickelten Gewerbe. Die Formen, in der sich diese Verschmelzung vollzieht, (Heranziehung von Gewerbetreibenden als Lehrer, als überwachende Kommission u. a. m.) müssen der Einzelentscheidung überlassen bleiben. Keinesfalls darf die Erziehungsfrage dem kleinen Selbstinteresse des Erwerbslebens preisgegeben werden, doch muß sie sich der Praxis und der Disziplin des gewerblichen Lebens nach Möglichkeit einfügen.«

3) »Das Gewerbe soll das Erziehungswesen nicht als ein Unterstützungsmittel für schwache Gewerbe betrachten, es soll darin nicht ein Mittel zur Erlangung billiger Arbeitskräfte erblicken. Damit schadet es in erster Linie sich selbst, denn es bekommt nur schlechten Nachwuchs und verkümmert an minderwertigen Menschenmaterial. Hier hat der Staat das Gewerbe gegen die Gewerbetreibenden zu schützen.«

Wie nun im einzelnen dieses Zusammenwirken von Staat und Gewerbe bei der Erziehung auszusehen hat, darüber lassen sich schlechterdings nicht von einer Stelle aus bindende Vorschläge machen. Zu bekämpfen aber wär jedes schematisierende Verfahren, das einer äußerlichen Einheit zu Liebe die Verhältnisse im ganzen Reich schematisch regeln wollte. Es ist deshalb dankenswert, daß der frühere Staatssekretär Graf Posadowsky einen dahin zielenden Antrag des Reichstags mit dem Hinweis ablehnte, daß das Fortbildungsschulwesen nach Gewerben und Landschaften zu verschieden sei, um einheitlich von Reichs wegen geregelt zu werden. Nach der gleichen Richtung gehen neuerdings die erzieherischen Maßnahmen der Behörden in den Bundesstaaten. Bemerkenswert ist z. B. ein Erlaß des preußischen Handelsministers über den Zeichenunterricht in den Fachschulen. Hier wird das Fachzeichnen in den Vordergrund gestellt, und Anschluß an das Gewerbe gefordert. Die aufgestellten Grundsätze sind mit folgenden sehr beherzigenswerten Ausführungen den Regierungspräsidenten zur Befolgung empfohlen: »Die »Grundsätze«, so heißt es, stellen keinen für alle Schulen unmittelbar anwendbaren Lehrplan dar, sondern geben die Richtlinien an, nach denen für die einzelnen Schulen die Zeichenklassen zu bilden und die Lehrpläne auszuarbeiten sind. Hierbei werden sich nach der Größe der Schule, den gewerblichen Verhältnissen des Schulorts, der Befähigung der Schüler und der fachlichen Ausbildung der Lehrer mannigfache Verschiedenheiten ergeben. Überhaupt wird die völlige Durchführung der »Grundsätze« in erster Linie von dem Erfolge der für die Ausbildung der Zeichenlehrer in Aussicht genommenen Maßregeln abhängen, über die demnächst Bestimmung getroffen werden wird.«

Hier ist grundsätzlich Anpassung an das Gewerbe von den Maßnahmen der Behörden gefordert. Und mit erfreulicher Sicherheit ist auch darauf hingewiesen, daß in der Gewinnung guter Lehrkräfte die beste Garantie einer Erziehung gelegen ist. Auf diesem Wege werden sich Staat und Gewerbe zu fruchtbarem Wirken verbinden können. Ein guter Schuldirektor kann in seinem Bezirk diese Aufgabe recht gut lösen.

Es ist aber dies nicht die einzige Form, in der sich Gewerbe und Staat verbünden, um erzieherische Fragen zu lösen. Sehr wichtig ist der in manchen Handwerkskammern gemachte Versuch einer *Lehrstellenvermittlung*. Sie ist der beste Stützpunkt für eine Dezentralisation des Erziehungswesens. Und diese halten wir im Gegensatz zu den Forderungen einer schematischen, bureaukratischen Einheit für die Grundbedingungen gedeilichen Fortschritts. Nur so kann man verschiedenen Gewerben gerecht werden, nur so die divergierenden Linien, Staat und Gewerbe, schließlich zusammenführen. Einzelne Handelskammern haben eine Lehrstellenvermittlung bereits übernommen. Sie könnten, wenn sie richtig beraten würden — wofür sich der Deutsche Werkbund und seine Vertrauensleute in den einzelnen Bezirken jederzeit zur Verfügung stellen —, auch sehr wohl die Aufgabe übernehmen, nicht bloß die technische, sondern auch die künstlerische Ausbildung des gewerblichen Nachwuchses durch Zusammenführen der richtigen Lehrlinge mit den richtigen Meistern erheblich fördern. Auch hier heißt es nur bestehende Ansätze weiter ausbilden.

Eine andere beachtenswerte Form des Zusammenarbeitens zwischen Staat und Gewerbe besteht in Württemberg.

Hier hat man einer Reihe von Handwerksmeistern Prämien für gute Erziehung gegeben, und ich muß sagen: allen Respekt vor einer Behörde, die das wagt und den Kampf mit den Eifersüchteleien aller derer aufnimmt, die diese Prämie nicht bekommen! Wie die Jahresberichte der Württembergischen Zentralstelle für Handel und Gewerbe beweisen, hat man mit diesem System gute Erfahrungen gemacht und ist gewillt, es noch weiter auszudehnen.
Über die Münchner Organisation des Erziehungswesens, die das Interesse aller Fachleute seit Jahren auf sich gelenkt hat, erübrigen sich für mich die Worte, denn der Zuständigste in dieser Sache, unser Mitglied Schulrat Kerschensteiner, wird hoffentlich selbst in der Diskussion das Nötige dazu beisteuern.
Ein anderer Versuch wurde in Frankfurt gemacht. Dort bildet nicht, wie in München, die Lehrwerkstatt die Grundlage, auch werden nicht Prämien an Handwerksmeister gegeben, sondern jeder Lehrling bekommt jährlich zwei Aufgaben von der examinierenden Behörde. Er hat die gestellte Aufgabe in der Werkstatt seines Meisters auszuführen. Und so überwacht die Behörde die Erziehungsarbeit des Gewerbes. So lassen sich je nach Gewerben und Gegenden verschiedene Formen der Verbindung von Staat und Gewerbe zur Heranbildung des Nachwuchses aufzeigen.
Es entsteht nun die Frage, wer im Gewerbe die Erziehungsaufgabe zu übernehmen hat. Darüber sagen die Leitsätze:
»Die gewerbliche Erziehung ist eine Aufgabe, die gerade den Leistungsfähigen im Gewerbe und den organisierten

Berufsständen obliegt. Jeder Großbetrieb hat daher die moralische Verpflichtung, selbst für die Heranbildung seines Nachwuchses zu sorgen und einen Teil seiner Tätigkeit diesem Erziehungswerk zu widmen. Es ist nicht angebracht, die Industrie zur Bestreitung der Erziehungskosten bei den Handwerkskammern beitragspflichtig zu machen. Dagegen ist den Fabrikbetrieben die Einrichtung von Lehrwerkstätten aufzugeben und ihre Gründung durch Befreiung ihrer Lehrlinge vom Besuch der öffentlichen Schulen im Bedarfsfall zu begünstigen. Der Staat begnüge sich mit dem Überwachungsrecht. Ein gleiches gilt von den Schulen des organisierten Gewerbes, soweit dort das Ziel der Erziehung oberster Grundsatz bleibt und der Unterricht sachgemäß erteilt wird.«

Auch nach dieser Richtung setzt der Bund nur Bestrebungen fort, die innerhalb der Großindustrie bereits lebendig sind. Zwei Zeugnisse möchte ich Ihnen dafür vorlegen. Es hat in der letzten Zeit eine lebhafte Bewegung eingesetzt, die Fabrikindustrie, die gelernte Arbeiter verwendet, bei den Handwerkskammern beitragspflichtig zu machen, denn das Handwerk, so sagt man, habe diese Arbeiter ausgebildet. Wir lehnen diese Forderung ab, wünschen vielmehr, daß die Erziehung des Nachwuchses von den Großbetrieben selbst übernommen werde. Das ist auch schon vielfach der Fall. Von der Handelskammer des Großherzogtums Sachsens ist eine Enquete veranstaltet worden, inwieweit handwerklich vorgebildete Arbeiter in der Großindustrie verwendet werden und wie weit die Großindustrie selbst die Erziehung geleistet hat. Dabei hat sich herausgestellt, daß in der Maschinenindustrie, dem Wagenbau, bei der Klavierfabrikation, den Glasinstrumentenfabriken, den Ofenfabriken und den Schuhfabriken ungefähr 50% vom Handwerk und 50% von der Industrie ausgebildet werden. Die Untersuchung schließt mit den Worten: »Es zeigt sich jedoch in diesen Industrien, daß eine bestimmte Absicht besteht, auf die Handwerkslehrlinge zu verzichten und die Ausbildung der Lehrlinge selbst zu übernehmen.« Auch aus anderen Gebieten des Kunstgewerbes liegt eine Kundgebung nach dieser Richtung hin vor. Auf dem seinerzeit stattgefundenen Kongreß Deutscher Kunstgewerbetreibender in Düsseldorf hat nach dem stenographischen Protokoll der bekannte Stuttgarter Möbelindustrielle, Herr Carl Schoettle berichtet, daß sich der Verband Süddeutscher Holzindustrieller dieser Frage angenommen habe. Er berichtet: »Daß diesem allgemein empfundenen Mangel an tüchtigen Arbeitskräften nicht allein durch die Schulen und durch staatliche Fürsorge abgeholfen werden kann, das wird jeder, der die in dieser Richtung bisher gemachten Versuche aufmerksam verfolgt hat, unumwunden zugestehen. Es wird jeder zu der Überzeugung kommen müssen, daß hier nur der Kunstgewerbetreibende selbst und insbesondere die Großbetriebe und die Fabrikanten, welche in dieser Beziehung die lautesten Klagen führen, wirksam helfend eingreifen können. Dieselben müssen nur einsehen, daß sie selbst an dem Mißstand Schuld tragen, indem sie dem Kleinmeister die Erziehung und Ausbildung der Lehrlinge allein überließen. Daß heutzutage, wo die Großbetriebe alle besseren kunstgewerblichen Arbeiten an sich gerissen haben und wo der Kleinmeister nur noch mit untergeordneten oder Flickarbeiten beschäftigt wird, dieser sein Dasein nur überaus mühsam fristen kann und in den allermeisten Fällen gar nicht mehr in der Lage ist, seinen Lehrling richtig auszubilden, daran denkt niemand. Der Vorstand des Verbandes Süddeutscher Holzindustrieeller hat deshalb in seiner Sitzung vom 12. Januar beschlossen, seinen Mitgliedern zur Pflicht zu machen, in ihren Betrieben Einrichtungen zu treffen, um die Ausbildung von Lehrlingen durch tüchtige Arbeiter selbst zu überehmen.«

Man sieht, wie hier die Industrie in der Erziehungsfrage sozusagen zum Idealismus genötigt wird und zwar aus wirtschaftlichen Erwägungen. Sie unterzieht sich der Verpflichtung, einen tüchtigen Nachwuchs zu erzielen, denn sie hat erkannt, wie sehr ihr ein schlechtes Arbeitermaterial schadet. Werden nun aber diese Bestrebungen in der Industrie lebendig, so ist nicht zu begreifen, warum einzelne Handwerkskammern den Lehrlingen, die in der Industrie ausgebildet worden sind, die Berechtigung abspricht, sich zur Prüfung bei den Handwerkskammern zu melden.

Es liegen von den Handwerkskammern in Gotha, Kassel, Halle und den Gewerbekammern des Köngreichs Sachsen Bechlüsse vor, die Fabriklehrlinge von ihren Prüfungen auszuschließen. Zeitgemäßer ist das Verhalten der Handwerkskammer zu Insterburg, die gegen Entrichtung einer Prüfungsgebühr die Industrielehrlinge zu den Prüfungen zuläßt. Es wäre zu wünschen, daß dieser Weg allenthalben beschritten würde, denn es hat wahrhaftig keinen Sinn, die Erziehung des Nachwuchses zu einem Privileg des Handwerks zu machen, wo offensichtlich ein gut Teil der besten Arbeitsaufgaben der Großindustrie zufällt und viele Kreise des Handwerks das Erziehungsprivileg zur

Erlangung billiger Arbeitskräfte mißbrauchen — vielleicht ihrer wirtschaftlichen Lage nach mißbrauchen müssen! Jedenfalls erblickt der »Werkbund« in der Befürwortung der Erziehung durch Großbetriebe eine seiner dringendsten und wichtigsten Aufgaben. Er wird hoffentlich viele seiner Mitglieder zur Einrichtung von Lehrwerkstätten veranlassen. Er wird positive Erziehungsarbeit leisten. Auch wird sich hier das Zusammenwirken von Staat und Gewerbe am vollkommensten durchführen lassen. Die passende Vermittlungsstelle, welche zugleich auch die nötige Dezentralisation das Erziehungswesen gewährleistete, wäre in diesem Falle die Handelskammer. Sie haben die Aufgaben, die auf diesem Gebiete ihrer harren, noch nicht in Angriff genommen.

Neben der Frage: wer die Erziehung zu leiten hat, steht die zweite Frage: welches die Ziele einer Erziehung durch Staat und Gewerbe sein müssen, welche Mittel hierfür zu empfehlen sind. Die besondere Schwierigkeit scheint darin zu liegen, daß neben der technischen eine künstlerische Erziehung auf unserem Gebiete notwendig wird und beide bis zu einem hohen Grade einander gegenseitig bedingen, dabei aber doch nicht ohne weiteres von derselben Stelle aus geleistet werden können. Ein großer Teil, der gegen die Kunstgewerbeschule neuerdings erhobenen ungerechtfertigten Vorwürfe, erklärt sich lediglich daraus, daß man von ihr Leistungen verlangt, die sie von sich aus niemals zugesagt hat und zu denen sie weder verpflichtet noch berechtigt ist. Darüber sagen die Leitsätze:

»In der Erziehung des gewerblichen Nachwuchses ist zu unterscheiden: die Heranbildung der Arbeiter für Handwerk und Fabrikbetriebe und die Entwicklung besonderer Begabungen zu künstlerischer Befruchtung des Gewerbes. Diese Ziele bedingen indes bis zu einem gewissen Grade eine gemeinsame Erziehungsgrundlage, denn die Heranbildung der technischen Arbeitskräfte des Gewerbes wäre unvollkommen ohne den Hinweis auf die Veredlungsmöglichkeiten, die auf der geschmacklichen Seite der Ausführung liegen und die Entfaltung der künstlerischen Begabung kann, wenn sie dem Gewerbe dienstbar gemacht werden soll, nur auf der Grundlage der technischen Arbeit und im Rahmen der wirtschaftlichen Möglichlichkeiten vor sich gehen.

Daraus ergibt sich:

1) Sowohl die Heranbildung der Arbeitskräfte, als auch die Entwicklung besonderer künstlerischer Begabung erfolgt dann am besten in der Praxis, wenn sich das Gewerbe in seinen Vertretern verständnisvoll und tüchtig genug erweist, um neben dem engeren Geschäftsinteresse auch die großen allgemeinen Interessen zu verstehen und zu fördern.

2) Staatsschulen haben erst dann ergänzend einzugreifen, wenn ein Bedürfnis vorliegt. Ist dies der Fall, so muß im Lehrplan und vor allem in den Aufnahmebedingungen das erstrebte Ziel klar zum Ausdruck kommen.

a) Von den aufzunehmenden Schülern ist Praxis im gewerblichen Leben zu verlangen. Auch wo es sich um die sogenannte höhere Ausbildung künstlerischer Fähigkeiten handelt, ist eine gewerbliche Praxis erwünscht. Das Erwerbsleben diszipliniert junge Begabungen. Auch bildet die gewerbliche Praxis ein Gegengewicht gegen den Individualismus künstlerischer Begabungen. Gewerb-

liche Praxis lehrt beizeiten, daß die Häfte allen Talentes Selbstzucht und Fleiß sei.
b) Bei Aufnahme neuer Schüler ist der Nachweis vorhandener Begabung streng zu fordern. Man erweist jungen Menschen keinen Dienst, wenn man sie über das Maß ihrer Begabung im unklaren läßt, und es stiftet mehr Schaden, eine unzulängliche Begabung ausbilden zu wollen, als eine vorhandene unberücksichtigt zu lassen, denn diese findet ihr Ziel auch ohne die Schule.
c) Die Entwicklung künstlerischer Begabungen ist ohne die Vertiefung der technischen Ausbildung und ohne die Entfaltung des inneren Menschen nicht denkbar. Daher ist auf der einen Seite eine ständige Verbindung mit der gewerblichen Praxis notwendig, auf der anderen Seite Unterricht in den sogenannten allgemeinen Fächern, sowie eine allgemeine gesellschaftliche Erziehung unerläßlich.«
Wir haben versucht, in diesen Sätzen die Ziele der Erziehung abzugrenzen. Sie weisen auf eine gemeinsame Erziehungsgrundlage: die gewerbliche Praxis hin, sie zeigen aber deutlich, daß es mit ihr allein nicht getan ist. Die weitere Ausbildung aber hat sich danach zu richten, ob die technische Fertigkeit oder ein künstlerisches Können als Endziel erstrebt wird.
Des weiteren beschäftigen sich die Leitsätze mit der Frage, wie sich Schule und Leben überhaupt zu einem ganzen verbinden können.
3) »Der enge Zusammenhang von Schule und Leben erfordert:
a) möglichste Vielgestaltigkeit und Dezentralisation des Erziehungswesens. Eine Stadt, ein Verwaltungsbezirk kann selbständig auch mit beschränkten Mitteln mehr

leisten als eine Zentralinstanz mit vielen Mitteln, wenn sie ein unübersehbares Gebiet vor sich hat und nicht vermag, den persönlichen Zusammenhang mit den maßgebenden Kräften in Kunst und Gewerbe aufrecht zu erhalten. Es ist gut, daß die gewerbliche Erziehung der Kompetenz der Bundesstaaten untersteht und selbständig gehandhabt wird. Im übrigen empfiehlt es sich, die aus dem Gewerbe selbst herausgewachsenen Organisationen (Handelskammer, Handwerkskammer, usw.) als Anknüpfungspunkt für eine zweckmäßige Dezentralisation des Erziehungswesens zu benützen.

b) Die Anstellung von Lehrern, die ihr Fach aus langjähriger Praxis verstehen.

c) daß die Betreffenden auch als Lehrer im gewerblichen Leben erwerbend tätig bleiben und ihre Schüler an der Lösung der praktischen Arbeitsaufgaben beteiligen.«

Dieser Punkt erfordert besondere Betonung. Bestrebungen, die darauf hinzielen, die Lehrer für unsere Schulen möglichst aus der Praxis zu nehmen, hätten keinen Wert, wenn der betreffende, sobald er Lehrer geworden ist, von der Praxis wieder abgeschnitten wird. Die einzige Möglichkeit, sie als praktische Lehrer zu erhalten, ist die, sie ständig mit der Praxis durch eigene Arbeit und eigenen Erwerb Fühlung halten zu lassen. Die Konkurrenz, welche daraus den Gewerbetreibenden erwächst, ist kaum der Rede wert. Das hat erst kürzlich eine von der Handwerkskammer zu Düsseldorf veranstaltete Enquete erwiesen. Daher heißt es in den Leitsätzen:

»Gelegentliche Klagen des Gewerbes über Konkurrenz durch die Produktion der Schulen sind als Übertreibung zurückzuweisen, sie zeigen im Einzelfalle nur, daß das

Gewerbe nicht reif ist, um die Erziehungsaufgabe selbst zu lösen.«

Schließlich fassen wir den in der Entwicklung und Tätigkeit unserer Schulen geforderten Ausgleich von Ideal und Wirklichkeit in die Worte zusammen:

»Die Geltung höherer Gesichtspunkte wird am besten gewährleistet durch die Besetzung der Direktorenstelle durch namhafte Künstler, während die Fachabteilungen nach Möglichkeit durch Männer der gewerblichen Praxis zu besetzen sind. In dieser Wechselwirkung liegt die beste Gewähr, daß das Gewerbe dem künstlerischen Fortschritt folgt und daß die Künstler mehr als bisher mit dem Gewerbe selbst verwachsen«.

In diesen Sätzen haben wir versucht, einige Richtlinien über das Zusammenwirken von Staat und Gewerbe in der Erziehungsfrage und über die Ziele solcher Erziehung zu geben. Es wird Aufgabe der Diskussion sein unsere Arbeit zu ergänzen und fortzuführen und uns neues Material zu der Behandlung der äußerst schwierigen Frage zu geben. Am Schluß haben wir es uns aber nicht versagen können, noch eine allgemeine Bemerkung anzuknüpfen, nämlich die, daß das ganze Schulwesen für die Erziehungsfrage nicht so ausschlaggebend ist, als vielleicht manchmal in der Hitze der Erörterungen über System und Programm angenommen wird.

»Bei der Beurteilung aller Erziehungsfragen ist zu bedenken, daß Schulen ihrer Natur nach nie so nachhaltig wirken, um die Frage der allgemeinen gewerblichen Erziehung restlos zu lösen. Namentlich ist es unbillig, von der Schule zu verlangen, daß sie Kräfte erziehe, die sich sofort in der Routine des Geschäftslebens mit-

arbeitend betätigen. Die Schule kann nur die Grundlage schaffen, auf der jeder sich in den Wechselfällen des Lebens aus eigener Kraft zurecht finden und helfen kann. Es ist daher verkehrt, Fachschulen direkt auf die gerade vorwaltenden Geschäftspraktiken oder Stilrichtungen des produzierenden Gewerbes zuzuschneiden.
Auch ist das Gewerbe nach Bedürfnissen und Leistungen, nach Berufen und Gebieten zu verschiedenartig, als daß die Erziehung seines Nachwuchses nach einheitlichen Regeln, Lehrplänen und Methoden erfolgen könnte. Von der Aufstellung fester Lehrpläne ist deshalb abzusehen. Auch mit einer nach äußeren Gesichtspunkten geschaffenen Vereinheitlichung des Schulwesens ist für die Verbesserung der Erziehung nichts getan. Das gewerbliche Unterrichtswesen ist seiner Natur nach vielgestaltig. Je mannigfaltiger es ist, um so größer ist die Gewähr, daß es den Anforderungen der lebendigen, gewerblichen Entwicklung und den außerordentlich verschiedenen örtlichen Bedingungen entspricht.«
»Im übrigen« — und eigentlich sollte man diesen Satz gesperrt drucken — »ist zu bemerken, daß der Staat die beste Erziehung leistet, wenn er durch Erteilung guter Aufträge an Künstler und Gewerbetreibende die Leistung guter Arbeit befördert.« (Sehr richtig!)
Um die Konsequenz zu ziehen, müßte man vorschlagen, die Ressorts für Erziehungswesen und Submissionswesen überall zusammenzulegen. Ich glaube, das wäre die beste Form der Erziehung durch den Staat! (Heiterkeit).
»Hier mündet, »so schließen unsere Leitsätze,« das Erziehungsproblem in die allgemeine Frage: Wie kann der Staat überhaupt Kunst und Gewerbe fördern? Dieses auch

für die Erziehung wichtige Problem erfordert eine besondere und ausführliche Behandlung.«
Heute wollen wir mit der Aufforderung schließen, daß der Staat als Käufer die kulturellen Pflichten ebenso übernehme und anerkenne, wie wir es vom Gewerbe als Produzenten fordern und wie wir es im Bunde als für uns bindend anerkennen. (Lebhafter Beifall).

HOFRAT PETER BRUCKMANN-HEILBRONN: Was ich über die gewerbliche Jugenderziehung zu sagen habe, soll von der Lage der Kunstindustrie ausgehen. Es wird also nicht dasselbe sein wie das, was das Handwerk für sich in Anspruch nimmt, und wird sich auch von dem unterscheiden, was Staat und Gemeinde bis jetzt darin leisten.
Seit neben dem Handwerk eine große Kunstindustrie steht, die die Produktion beherrscht, sind die Fragen der Erziehung des gewerblichen Nachwuchses mit besonderer Berücksichtigung der Verhältnisse in der Industrie zu prüfen. Das Kapital, das in unseren Großbetrieben festgelegt ist und verzinst werden muß, die gewaltige Schar der Arbeitnehmer, die dort ihr Brot verdienen will, zwingen den Fabrikanten, Arbeit um jeden Preis zu suchen. Der Kunstindustrieelle wirft jährlich tausende von neuen Mustern auf den Markt, um den Käufer anzulocken. Er weis zunächst nichts sicheres über die Verkäuflichkeit dieser neuen Werte, die er geschaffen hat, und große Summen riskiert er jährlich in Entwürfen, Modellen und maschinellen Vorbereitungen zur Herstellung dieser Werte. Um die Verkaufschance seiner Ware zu erhöhen, wird er nach links und rechts sehen müssen, um allen Wünschen

der Kundschaft entgegenzukommen und bei den großen Unkosten und Mühen, die ihm die Beschaffung modegerechter Neuheiten verursacht, wird ihm Zeit, Geld und Lust zu einer inneren Veredelung und Hebung der Qualität vielfach vergehen.

Besteht nun ein wirtschaftliches Interesse daran, daß durch die Ausdehnung der Großindustrie und ihrer technischen Leistungsfähigkeit immer mehr solche Massen- und Modeware entsteht, die dem Erzeuger wenig materiellen und gar keinen ideellen Nutzen und dem Käufer keine dauernde Freude bringt? Ist nicht eher zu wünschen, daß die Industrie ihre kapitalkräftige Stellung dazu ausnützt, ihrer ganzen Produktionsweise einen gesünderen Boden zu geben?

Eine der wichtigsten Vorbedingungen besserer Zustände ist die bessere Erziehung ihres gewerblichen Nachwuchses. Wie steht es heute mit den in der Kunstindustrie arbeitenden Kräften? Wir haben eine große Zahl von sogenannten ungelernten Hilfsarbeitern, die wohl wissen, ihre Maschine zu bedienen oder Hilfsverrichtungen in strenger Arbeitsteilung zu leisten. Meist im Akkordverhältnis arbeitend, sind sie im Bestreben einen ordentlichen Verdienst zu erzielen, nicht imstande, Arbeit in bester Qualität abzuliefern, sie sind ohne jede Kenntnisse des Wesens des Gegenstandes, zu dem sie Teile anfertigen, sie wissen nicht, wie ein solcher Gegenstand aussehen muß, wenn er die hohen Anforderungen erfüllen will, die Gebrauchsfähigkeit und Geschmack an ihn stellen. (Sehr richtig!) Durch die Arbeitsteilung ist ihnen jeder andere Prozeß, der an gleichem Gegenstand von anderen Arbeitern vorgenommen wird, unbekannt oder zum mindesten sehr gleichgültig. Die Arbeiter an der Maschine führen mechanisch das aus, was ihnen zugestellt wird. Wie selten kommen gerade sie, die die Leistung der Maschine und die Möglichkeit, auch mit der Maschine zu variieren, am besten kennen sollten, in die Lage, sich über ihre Arbeit Gedanken zu machen, mit anderen darüber zu beraten und Versuche anzustellen! Bei dem großen Anteil, den der Maschinenarbeiter und der Hilfs= arbeiter an der Fertigstellung der kunstindustriellen Erzeug= nisse hat, ist es nicht gleichgültig, ob alle diese Arbeit von Leuten getan wird, die innerlich vollkommen unbe= teiligt sind, weil ihr inneres Interesse und ihre Fähigkeit nicht geweckt wird, oder ob denkende und überlegende Leute hier mit arbeiten, denen ein Verständnis für die Gestaltungsmöglichkeiten ihres Materials und damit eine Freude an der eigenen Teilarbeit anerzogen ist. Bis jetzt fehlt jede Gelegenheit, diese Kategorie von Arbeitern zu fördern.

Wir kommen dann zu den eigentlichen Lehrlingen und zu den Gehilfen, die eine Lehrzeit durchgemacht haben. Mit Elementar=, Volks= und Mittelschulbildung, ohne Handfertigkeitsunterricht, kommen die jungen Leute in den Betrieb. Aus ihnen sollen werden: die Kunstarbeiter, die technische Handfertigkeit, Geschmack und Gefühl für die künstlerische Gestaltung der Arbeit besitzen müssen. Neben ihrer Arbeitszeit im Betrieb dient ihnen als Weiterbildung die Fortbildungsschule oder Gewerbe= schule, die in großen Gebieten Deutschlands noch als Abendschule betätigt wird. Die Lehrmeister in den Fabrik= betrieben, denen die jungen Leute überantwortet werden, sind oft vielbeschäftigte Vorarbeiter, die wohl eine gewisse

Kunstfertigkeit besitzen, aber selten ein Lehrtalent, selten die Gabe, den Menschen aus dem Lehrling herauszuschälen, und auf ihn erzieherisch zu wirken. Sehr bald wird der Lehrling zu einzelnen Verrichtungen angelernt, seine Arbeitsleistung soll ausgenützt werden, und so wird er bald zum Spezialisten, der im Akkord, wenn er ausgelernt hat, weiterarbeitet, ebenso wie der ungelernte Arbeiter, ohne tieferes Verständnis, ohne Entwicklung seiner allgemeinen Anlagen. Dazu soll ihm ja die Gewerbeschule dienen. Gewiß kann er dort nützliche Kenntnisse im Rechnen, im Kalkulieren, im gewerblichen Aufsatz erlernen, aber selbst, wo Werkstätten an den Schulen eingerichtet sind, nützen sie wohl mehr dem Handwerkslehrling als dem Lehrling im großen Betrieb. Hat aber der Lehrling in den Gewerbeschulen immerhin noch die Möglichkeit einer Fortbildung, so ist diese dem Gehilfen, solange er im Betrieb ist, meist genommen. Und gerade der Gehilfe von 18—25 Jahren, der sollte, da ihm schon technische Erfahrung und ein größerer Lebensernst zu eigen ist, am fruchtbarsten gefördert werden.
Steigen wir höher hinauf, so gelangen wir in die Ateliers der Fabriken. Dort sitzen die »Künstler« wie sie sich selbst nennen und wie sie mit Stolz von ihren Prinzipalen genannt werden. Die kamen, nachdem sie eine praktische Lehrzeit bestanden, sehr oft aber auch ohne eine solche, als junge Leute auf die Kunstgewerbeschule oder Fachschule, wo solche bestehen, und von da in den Betrieb. Sie sind wie jeder Kontorangestellte, Angestellte des Betriebs, sie haben den Weisungen des Fabrikanten in technischen und künstlerischen Fragen zu folgen und sie sind ihm umsomehr wert, je mehr sie in ihren Entwürfen

das treffen, was das Publikum will, was der neuesten Mode entspricht. Da in dieses Arbeitsverhältnis nicht gern Künstler gehen, denen ein selbständiges künstlerisches Schaffen eigen ist, so treffen wir in diesen Ateliers eine große Schar jener Zeichner und Modelleure, deren Hauptstärke es ist, die historischen Stile immer wieder auf die heutigen Erzeugnisse anzuwenden. Weil sie und mit ihnen die Kunstindustriellen das Wesen des künstgewerblichen Erzeugnisses viel zu viel in der äußeren Schmuckform erblicken, so gelangen sie dazu, mit derselben Leichtigkeit, wie gestern in historischen Stilen, heute im sogenannten modernen Stil zu arbeiten, wobei die Anregungen führender Künstler ebenso gewandt wie der Formenschatz vergangener Zeiten verwendet werden.
Mit diesen Fabrikateliers und in ihrer intensiven Ausnützung glaubt ein großer Teil der Kunstindustrie gegen alle Anforderungen von Seiten des kaufenden Publikums gewappnet zu sein. Die augenblickliche Lage des Marktes scheint ihnen recht zu geben. Große Firmen, besonders solche, die exportieren, werden immer Leute in ihrem Betriebe brauchen, die imstande sind, alle Stile zu kopieren, ja ich glaube, daß einzelne Firmen gerade als Spezialität in diesen Arbeiten immer ihr Geschäft machen werden. Und eine gediegene, in echtem Material und echter Technik ausgeführte Arbeit dieser Art ist auch eine edle Arbeit. Verwerflich wird das Kopieren erst dann, wenn in billiger Technik maschineller Art alte Handarbeit nachgeahmt und vorgetäuscht wird. Der Werkbund hat in seinen Beratungen über die Veredlung der Arbeit nicht bei den heutigen Zuständen sich zu beruhigen, sondern er muß die Wege aufspüren, auf denen Entwicklung

möglich ist. Und die ist nur möglich, wenn wir die ganze Frage der kunstindustriellen Produktion viel tiefer fassen, sie als eine Kulturfrage und als eine wirtschaftliche Frage ersten Ranges ansprechen. Wir streben an: Förderung der edlen Arbeit. Die kann nicht erreicht werden durch neue Formen und neuen Schmuck, sondern durch Verbesserung der Arbeits- und Ausbildungsbedingungen aller der zur Produktion berufenen Kräfte. Solange unser modernes kunstgewerbliches Schaffen sich nicht diesen neuen Bedingungen unterwirft, solange wird es den Charakter der Mode nicht verlieren und solange hat auch der Fabrikant ganz recht, wenn er den sogenannten modernen Arbeiten weniger Vertrauen entgegenbringt, als den schon ausgeprobten Formen, deren Verkäuflichkeit ihm sicher bewiesen ist.

Aber gerade der Fabrikant ist derjenige, von dem wir bei der Reform der gewerblichen Erziehung mit am meisten fordern müssen. Er muß über die Lage des heutigen Marktes, wie sie sich durch Massenproduktion, durch den Zwischenhandel und durch die Kritiklosigkeit eines großen Teils des Publikums gestaltet hat, hinaussehen können und darf sich der Erkenntnis nicht verschließen, daß zuerst der Arbeitende gehoben werden muß, wenn eine Arbeit von ihm verlangt werden soll, die der volle Ausdruck unserer höchststrebenden Zeit ist. So muß der Fabrikant vor allen anderen die Reformen unterstützen. Schon auf die Schulen, aus denen der größte Teil unserer Arbeiter hervorgeht, müßte eingewirkt werden. In diesen Schulen müßte schon Zeit gewonnen werden für die Ausbildung des Auges und der Hand. Wenn man hört, daß erst in diesen Tagen in Wiesbaden die berufene Behörde eine weitere, eine fünfte Religionsstunde verlangt, dann kann man allerdings wenig Vertrauen haben auf baldige Besserung. (Sehr richtig!) Der Unterricht an den Gewerbeschulen soll nicht abends nach der anstrengenden Berufsarbeit, sondern am Tage erteilt werden, wie es ja in einzelnen Staaten schon eingeführt ist. Für den Fachunterricht sind durchweg tüchtige Handwerker zu verwenden. Gewerbelehrer, die sich für den Lehrberuf rasch in verschiedenen Gewerben ausbilden, werden immer nach der Schulmeisterseite hinneigen. Besseren Dienst werden Handwerker tun, denen man Lehrfähigkeit beibringt. An den Gewerbeschulen sollen künstlerische Bestrebungen nicht hervortreten und der Schwerpunkt auf eine solide, werktüchtige Anleitung zur Verarbeitung des Materials gelegt werden. Der sogenannte wissenschaftliche Unterricht ist solange nicht zu entbehren, als das Niveau der aus Elementar- und Volksschulen kommenden Leute kein Höheres ist. In Württemberg, wo eine Reihe von Fordeungen, die wir stellen, schon verwirklicht sind oder der Verwirklichung entgegengehen, besteht die Einrichtung der staatlich subventionierten Lehrmeister. Diese staatlichen Lehrstellen bei ausgesucht tüchtigen Meistern, die von den Organen, denen die Gewerbeförderung unterstellt ist, kontrolliert werden, sind dem Werkstättenunterricht an den Schulen vorzuziehen und verdienen als ein hervorragendes Mittel der Handwerkserziehung allgemeine Verbreitung.

Was die Handwerksmeister mit staatlicher Subventionierung tun, das sollte nun die Industrie selbst unternehmen, nämlich die eigene Ausbildung ihrer Lehrlinge, nicht in der Weise, wie bisher, sondern durch Einrichtung von eigenen Lehrwerkstätten.

Wir haben ein glänzendes Beispiel in der ihnen wohlbekannten Organisation der Lehrlingsschule der Deutschen Werkstätten für Handwerkskunst in Dresden. Es wäre das Ideal, wenn überall solche Schulen den Betriebe angegliedert werden könnten. Ich glaube aber nicht, daß in dem Umfang, wie in Dresden, auf viel Nachfolge gerechnet werden kann. Ich glaube, daß in den meisten Betrieben der sogenannte wissenschaftliche Unterricht ruhig den bestehenden Gewerbeschulen überlassen werden kann, wobei volkswirtschaftlicher Unterricht, wie ihn Dresden gibt, ebenfalls erteilt werden könnte, und daß man in den Betrieben selbst sich auf den eigentlichen Fachunterricht beschränkt. Dafür soll selbstverständlich kein Lehrgeld bezahlt werden. Es müßte größeren und auch mittleren Betrieben mit einigem Opfersinn nicht schwer fallen einzugreifen und wöchentlich zwei Nachmittage alle bildungsfähigen Arbeiter zusammenzufassen, um unter einer zielbewußten Leitung aus dem Material und dem Zweck heraus Aufgaben zu stellen, alle Vorteile des Materials auszunützen und weitergehend unter Verwendung von Naturstudien auch dem Material und dem Gegenstand angepaßten Schmuck zu versuchen. Das pulsierende Leben des Betriebs, das Zusammenarbeiten mit den Kameraden desselben Betriebs und die für den eigenen Betrieb zugeschnittene Art der Beschäftigung wird für die Schüler dieser Betriebslehrwerkstätten viel rascher Früchte tragen, als es in den Werkstätten von Gewerbeschulen und Kunstgewerbeschulen möglich ist. Die Elite der Lehrlinge und Gehilfen müßte sich in diese Lehrwerkstätten drängen. Wenn dort heute praktisch in Ausbildung von Auge und Hand gearbeitet wird, muß morgen die Ma-

schine und ihre Leistungen besprochen und der sogenannte ungelernte Arbeiter, der die Maschine bedient, beigezogen werden, um mit ihm diese oder jene Verwendung der Maschine auszuprobieren. Dann müssen Vorträge mit Anschauungsunterricht gehalten werden, aber keine Kunst=geschichte, die sixtinische Kapelle und der Kölner Dom sollen nicht besprochen werden, sondern an Hand von Abgüssen, Photographien, Projektionen soll den Ar=beitern gezeigt werden, was in ihrem schönen Material in ihrem eigenen Gewerbe zu allen Zeiten Muster=giltiges, aber auch was Falsches, Materialwidriges ge=schaffen wurde und warum man es in früheren Zeiten so und heute anders macht. Zu dieser Aufklärung ge=hören auch kleine Reisen, Besuche von Ausstellungen, die unter werkkundiger Führung und materieller Unter=stützung seitens der Fabrikanten zu veranstalten sind.
In den Werkstattbesprechungen ist besonders hinzuweisen auf die Ökonomie bei Verwendung des Materials und ihre große Wichtigkeit für die Verkäuflichkeit.
Alles das lernt man ja auf Kunstgewerbeschulen, wird man sagen. Aber erstens ist der Besuch der Kunstgewerbe=schule nur einem kleinen Teil von den Leuten möglich, die hier in der Industrie in Betracht kommen und dann ist es doch etwas anderes, wenn ich im Betrieb immer die Möglichkeit habe, jede Belehrung durch Dutzende von praktischen Beispielen und an der Hand der verschieden=artigsten Maschinen unmittelbar zu erläutern.
Die Kunstgewerbeschulen sollen wenig produzieren, nichts verkaufen, so verlangt es das Gewerbe, das die Kon=kurrenz dieser Anstalten nicht wünscht. In den Lehrwerk=stätten der Industrie soll aber direkt für den Verkauf

gearbeitet werden. Die Erzeugnisse gehören dem Fabrikanten, der die Arbeitszeit in der Lehrwerkstätte bezahlt, wie die andere Arbeitszeit auch. Dadurch wird etwas Lebendiges, Fruchtbringendes gearbeitet. Man kann einwerfen, man könne dasselbe erreichen, wenn man solche belehrende Arbeiten, an denen der Hersteller mit Herz und Kopf sich beteiligen soll, im laufenden Betrieb seinen jungen Leuten geben würde. Aber darauf ist zu sagen, daß im laufenden Betrieb die Ruhe fehlt, daß in der gleichen Werkstatt, wo pressante Terminaufträge erledigt werden müssen, eine Arbeit, wie ich sie geschildert habe, unmöglich ist.

Die jungen Leute, die sich in der Woche zweimal zusammensetzen, um unter verständiger Leitung sich in ihren Leistungen zu verbessern, sollen das Gefühl haben: jetzt sind wir aus dem großen Räderwerk heraus, jetzt schaffen wir für unsere und unseres Gewerbes Veredelung und dieser Gedanke soll und muß sie in ihrer Selbstachtung und Leistungsfähigkeit heben.

Dem Einwurf, dass in der sogenannten Hochsaison eine solche Lehrwerkstatt zuviel Leute aus dem Betrieb nimmt, kann dadurch begegnet werden, daß man in diesen Monaten pausiert, und die Lehrwerkstatt hauptsächlich in der normalen Zeit betreibt.

Zu einer solchen Tätigkeit, die nicht nur das tägliche Abarbeiten der Arbeitszeit in immer gleicher Umgebung kennt, werden wir, und das ist von größter Bedeutung, auch gebildetere, arbeitsbefähigte Elemente heranziehen können. Wenn Anregung, Gelegenheit zu eigener Betätigung geboten ist, werden auch Leute kommen, die bisher aus Standesrücksichten und oft ohne inneren Drang den sogenannten höheren Beruf des Kaufmanns und Beamten gewählt haben. (Sehr richtig!)

Wenn die Betriebe nun solche Lehreinrichtungen getroffen haben, müßten, wie das auch in Dresden ist, ihre Schüler vom Zeichnen und Fachunterricht an den Gewerbeschulen befreit werden, und es müßte eine Kontrolle über die Betriebe eingesetzt werden, die unter Leitung eines staatlichen Organs der Gewerbeförderung ein Kuratorium aus Künstlern, Fabrikanten und Arbeitnehmern bilden würde.

Alle diese jungen Leute nun, die während ihrer Lehrzeit und in den ersten Jahren ihrer Gehilfenzeit neben der praktischen Arbeit die Förderung ihrer gewerblichen und künstlerischen Begabung erhalten haben, sollen die große Armee der Zukunft abgeben, aus der heraus die sich entwickeln können, die auch als schöpferische Kräfte imstande sind, führende Stellen auszufüllen.

Wenn sie in der Lehrwerkstatt und im Betrieb auch ihr eigenes Gewerbe von Grund aus erlernt haben und eine Übersicht gewonnen haben über die Verarbeitung ihres Materials und über alles, was in alten Zeiten darin geschaffen worden ist, so ist diese Ausbildung für die, die weiterstreben und dazu befähigt sind, naturgemäß eine zu einseitige. Für sie brauchen wir eine hohe Schule.

Finden wir diese hohe Schule aber in der Kunstgewerbeschule, wie sie von anderer Seite in einer Eingabe von Industriellen verlangt wird? Meiner Ansicht nach wird in dieser Eingabe eine Schule verlangt, die besonders geeignet ist, gerade jene Fabrikkünstler und Musterzeichner und Modelleure auszubilden, die ich eingangs geschildert habe (sehr richtig!) und aus deren Tätigkeit keine Entwicklung zum Besseren zu erwarten ist.

Im besten Fall würde erreicht eine ausgedehnte Kenntnis des Formenschatzes aller Zeiten und eine gewandte Verwendung dieser Kenntnisse, wobei besonders die Art der malerischen und plastischen Darstellung des betreffenden Entwurfs eine große Rolle spielt. In den meisten Fällen werden aber die jungen Leute wenn sie vier Semester auf dieser Schule zugebracht haben, der praktischen Arbeit entwöhnt, das Entwerfen ist ihr Element und man bringt sie schwer in eine Werkstatt.
Die Industrie verlangt heute von solchen Kräften, daß sie auch modern entwerfen können, und wenn das auf der Kunstgewerbeschule in derselben Art gelehrt wird, wie das Entwerfen in historischen Stilen, dann ist der Geist der jetzigen Zeit nicht erfaßt, die nicht in äußerlicher Formensprache ihren Ausdruck finden will.
Man braucht selbstverständlich in der Kunstindustrie gewandte Zeichner, die für den Kunden ein Einzelerzeugnis, ein ganzes Zimmer in verführerischer Art darstellen können, sodaß er danach bestellt. Aber das soll doch nur ein Teil, nicht das Ziel der Ausbildung sein.
Wenn nun vollends verlangt wird, daß praktische Arbeit von den Kunstgewerbeschulen fast ganz ausgeschlossen werden soll, so können solche Schulen für die schon in Lehrwerkstätten im Betrieb herangebildeten Leute nicht in Betracht kommen.
Im Gegenteil. Im weiteren Ausbau der von mir vorgetragenen Ausbildungsart müssen wir auf eine noch höherstehende, noch freier arbeitende Werkstatt kommen und das kann nur die Fachschule sein, der es gestattet ist, für den Verkauf zu arbeiten. Dort müssen von den besten Fachmeistern unter der Leitung der für das Fach

am besten geeigneten Künstlern die besten von der Industrie und dem Handwerk herangebildeten Kräfte ihre letzte und höchste Ausbildung erhalten.
Hierher gehören dann Vorträge von Fachmännern und Nationalökonomen, die das kunstindustrielle Leben und seine Wichtigkeit verstehen, die Kunstwerke begreifen lehren und aus der Werktätigkeit aller Zeiten praktische Schlüsse auf das heutige gewerbliche Leben zu ziehen imstande sind. Hierher gehören Belehrungen, die den Schülern das Wesen des architektonischen Schaffens klarmachen und die Wichtigkeit der Architektur als Anregerin und als Rückgrat für jeden einzelnen Gewerbszweig erläutern. Hierher gehört die raffinierteste Ausnützung und Bearbeitung des Materials und der Technik. Hier muß im echten Material gearbeitet werden, und zwar für den Verkauf und nach Aufträgen. Hiergegen wird sich ein Sturm des Protestes erheben. Aber es läßt sich vielleicht ein Mittel finden, wodurch diese Konkurrenz abgeschwächt wird. Es ließe sich z. B. denken, daß die Betriebe eines Gewerbszweigs und eines Landesteils sich finanziell an der Einrichtung einer solchen Fachschule beteiligen oder sie ganz übernehmen und daß, bei staatlicher Besoldung der Lehrkräfte, der Gewinn aus dem praktischen Arbeitsbetrieb wieder unter die beteiligten Industriellen verteilt würde. Auf alle Fälle müßten diese Fachschulen in die man mit der Zeit alle Kunstgewerbeschulen umwandeln könnte, losgelöst werden von dem Ressort der sonstigen Schulverwaltung, sie müßten denselben Kuratorien aus Künstlern, Gewerbetreibenden und Arbeitern unterstellt sein, wie die Lehrwerkstätten.

Damit diese Anstalten aber ihren Charakter als Schule beibehalten, müßten die Schüler nach einer gewissen Zeit die Anstalt wieder verlassen und in den Fabrikbetrieb oder ins Handwerk zurückkehren. Die besten davon sollten dann als Lehrer an den Lehrwerkstätten Verwendung finden. Und auch die eigentlichen Fachlehrer müßten wechseln. Veraltete Lehrkräfte wären gerade hier von größtem Schaden. Wenn die Fachlehrer aus dem Handwerk und der Industrie herausgenommen sind, werden sie jederzeit dahin zurückkehren können, weil sie während ihrer Lehrtätigkeit praktische, fruchtbare Arbeit geleistet haben, während heute wohl kaum ein Industrieller einen Lehrer von der Kunstgewerbeschule weg in seinen Betrieb rufen würde.
Meine Damen und Herren! Im Laufe der heutigen Besprechung werden eine ganze Reihe von Anregungen auftauchen, aber allen wird die Überzeugung zugrundeliegen, daß selbständige Loslösung von allen bureaukratischen Einflüssen und Umständlichkeiten, freie Bewegung der Lehrenden und Lernenden in engstem Zusammenhang mit Gewerbe und Industrie notwendig ist.
Wir hoffen auf den klaren Blick unserer Industriellen, der vor augenblicklichen Mehrbelastungen sich nicht scheut, wenn es sich darum handelt, für die ganze Kunstindustrie einen Boden zu schaffen, auf dem dauernder wirtschaftlicher Erfolg geerntet werden kann, nicht zum Vorteil des einzelnen allein, sondern zum Vorteil unserer Nation. Damit die heutigen Forderungen nicht als idealistische Zukunftsträume in der Luft schweben bleiben, müssen sie im fachmännischen Kreise, in dem Unternehmer und Arbeiter, Künstler und Schulmänner

vertreten sind, durchberaten werden, um aus der heutigen Aussprache heraus Greifbares zu gestalten.

Was gestern schon herausgehoben wurde, als erstrebenswert, muß zur Tatsache werden: Vertrauen muß herrschen zwischen allen mitwirkenden Kräften.

Wenn Industrie und Künstler heute zum Teil so verbittert sind gegeneinander, woran liegt es denn? Die Künstler, mit denen die Industrie so schlechte Erfahrungen gemacht hat, daß sie ihre eigenen Fabrikateliers vorzieht, waren meist solche, die noch ohne architektonisches Gefühl, bald in zu malerischer, bald in zu plastischer Eigenart und ohne eigene Kenntnis der Technik der Industrie Aufgaben zu lösen gegeben haben, die ungemein viel Geld verschlangen und doch unwirtschaftlich geblieben sind, weil sie keinen Käufer fanden. Heute ist unser Blick viel klarer geworden. Schon Dresden 1906, noch mehr Darmstadt, Stuttgart, München 1908 zeigen uns den Weg, den unsere Entwicklung gehen wird.

Die Kunstindustrie muß auf diesem Wege mitmarschieren. England und vor allem Frankreich leben von dem, was einst groß in ihrem Lande war und von der Welt als mustergiltig anerkannt wurde. Eine solche anerkannte deutsche Arbeit zu schaffen auf dem Boden der heutigen Produktionsverhältnisse, dazu ist unsere Zeit berufen und ein jeder von uns ist stolz darauf, an der Verwirklichung dieses Endzieles mitzuarbeiten.

Aber es liegt im Wesen unserer Zeit, daß diese deutsche Arbeit ihr Ziel nicht suchen kann in der Verwendung und Ausbeutung alter Schmuckformen, auch nicht in der Verwertung individueller Künstlerlaunen unserer Tage,

sondern daß sie auf der sozialen, wirtschaftlichen Umgestaltung unserer Betriebe ruht, darauf, daß nicht das Erzeugnis allein, sondern der Erzeugende und die Art des Erzeugens umgestaltet wird.
Wenn unsere ganze Arbeit nur den Zweck hätte, den reichsten im Lande herrliche Wohnräume zu schaffen, dann wäre sie keine zeitgemäße Arbeit.
Nicht die prachtvoll ausgeführten Einzelzimmer der Ausstellungen 1908 sind das Wichtige, sondern die künstlerische Durchgestaltung des einfachsten Hauses, des Nutzraumes. In die weitesten Kreise soll Harmonie in Form und Farbe getragen und dadurch der gute Geschmack gebildet werden. Der oberste Führer ist heute der Architekt und ihm gliedern alle andern sich gleichstrebend an.
Wenn es uns in praktischer Ausführung unserer gestern und heute gesprochenen Worte gelingen würde, eine gewerbliche Jugend technisch, künstlerisch und ethisch heranzubilden, die aus allen Kreisen heraus sich rekrutiert und für deren Ausbildung Zeit und Mühe verwendet wird, wie bei der Jugend, die sich sogenannten geistigen Berufen zuwendet, dann entstehen von selbst die Kräfte, die unsere Industrie braucht, die sie nicht mehr ablehnen wird: die leistungsfähigen, die Schönheit begreifenden und fühlenden Kunstarbeiter, und die mit der Technik durchaus vertrauten, wirtschaftlich und künstlerisch zugleich denkenden Erfinder.
Im modernen Haus, in das die Schönheit in ihrem wertvollsten Gewand, in dem der Einfachheit einzieht, heran gewachsen wird diese Jugend rasch ganz andere Begriffe von guter Arbeit bekommen, und der Einfluß der ver-

schönerten Umgebung wird sie ihr Leben lang begleiten. Im Betrieb werden sie nicht nur Lohnarbeiter, sondern bewußt Mitschaffende sein, die am wirtschaftlichen Aufschwung des Betriebes finanziell beteiligt werden sollten. Hier muß auch ausgesprochen werden, daß gerade kunstindustrielle Betriebe keine zu lange Arbeitszeit haben dürfen. Wenn so mancher Industrielle heut sagt, ich tue nur noch das Nötigste, nur noch das, was mir abgezwungen wird, auf Anerkennung kann ich doch nicht rechnen, und die wirtschaftliche Lage des Marktes zwingt mich dazu, so liegen diesen Klagen gewiß schwerwiegende Tatsachen zugrunde.
Aber diese Tatsachen beweisen nur, daß der Ackerboden, auf dem die Kunstindustrie ihre auch dem Allgemeinen zugutekommenden Früchte ziehen kann, noch nicht richtig bestellt ist. Durch die geschilderte Erziehung des Lehrlings und Gehilfen, durch das Bewußtsein des Förderns und Gefördert werdens, durch gemeinsame vertrauensvolle Arbeit wird sich gerade in der Kunstindustrie manche Spannung lösen, die sonst in industriellen Betrieben vorerst bestehen bleiben wird.
Auf die Mitwirkung der Arbeiterorganisationen müssen wir allerdings rechnen können.
Der andere wesentliche Faktor für die Förderung und vor allem Anerkennung edler Arbeit, die Erziehung des Verkäufers ist ja ebenfalls, wie die Belehrung des Publikums Werkbundarbeit. Gefördert wird der Geschmack des Publikums durch jeden guten Bau, der an der Straße steht, durch jedes gute Schulhaus, jeden guten Bahnhof. Vielversprechend sind die Bestrebungen, die darin heute tätig sind. Bemühen wir uns, dazu das Wichtigste zu

leisten, das Wichtigste, weil es die Gestaltung der Zukunft einschließt, die Reform der gewerblichen Jugenderziehung! (Lebhafter Beifall!)

VORSITZENDER: Das Wort hat Herr Rudolf Bosselt-Düsseldorf.

HERR PROF. RUDOLF BOSSELT, DÜSSELDORF: Geehrte Anwesende! Ehe ich zu den eigentlichen Gegenstand meiner Ausführungen homme, gestatten Sie mir einige Bemerkungen allgemeinerer Art um sich über die Grundlagen unseres Erzielungsproblems zu verständigen. Die Existenzbedingungen für den Kunsthandwerker haben sich allmählich zu seinen Ungunsten verschoben. Die hauptsächlichste Ursache dieser Verschiebung ist die Entwicklung der Industrie, die durch den bewunderungswürdigen Ausbau der Organisation der menschlichen Arbeit und die dadurch erzielte Steigerung der Produktivität zu einer planmässigen Hervorrufung des Verlangens nach Ware kommen mußte. Diese schwierige Aufgabe der Industrie, die Schaffung des Absatzes, wird erstrebt durch ein Massenangebot von Waren, die allen erdenklichen Anforderungen entgegenkommen sollen, durch die Übernahme jedweder Bestellung, durch das Eingehen auf alle Wünsche und durch Kreditieren.
Diese Art der Produktion und Konsumtion hat das alte direkte Verhältnis zwischen Kunsthandwerk und Publikum zerstört. Es besteht nur noch für solche Gebiete, die der maschinellen und industriellen Bearbeitung bisher unzugänglich geblieben sind. Der selbständige Kunsthandwerker ist dadurch entweder abhänig von der Indu-

strie geworden, oder er versucht die Mittel der Industrie zur Anwendung zu bringen mit geringerem Kapital, weniger durchgebildeter Organisation, geringerem Erfolg. Seine Werkstatt wird zum industriellen Betrieben en miniature. Dieser Kampf mit der Industrie, die eigentliche Lebensfrage des Kunsthandwerkers, kann durch die mehr oder minder hohe Ausbildung des Nachwuchses im Kunstgewerbe kaum beeinflußt werden.
Also: eine Frage »Kunsthandwerker-Kunstgewerbeschule« wie sie von manchen Seiten aufgeworfen wird, gibt es in dem Sinne, daß sie den Existenzkampf des Kunsthandwerkers einschneidend berührt, überhaupt nicht. Aber es gibt eine Frage: »Die Ausbildung der kunstgewerblichen Kräfte- und die Kunstgewerbeschule«, und an der Lösung dieser Frage sind die kunstgewerbliche Industrie und die Kunsthandwerker in gleicher Weise interessiert.
Und zwar aus einem wirtschaftlichen Grunde.
Für jedes Volk ist die Erzeugung von Gütern, die andere Völker nicht oder nicht so erzeugen können, jedoch nötig haben oder begehrenswert finden, eine Quelle materieller Einnahme.
Nun haben die letzten großen internationalen Ausstellungen, Paris, Turin, St. Louis — am überzeugendsten aber letztere — gezeigt, daß Deutschland in der Herstellung modernen Kunstgewerbes und moderner Inneneinrichtungen vor den andren europäischen Staaten einen Vorsprung gewonnen hat, daß gerade die selbstständige Entwicklung, die die moderne Bewegung auf kunstgewerblichem Gebiet in Deutschland gefunden hat, und die dadurch erreichte Geschmacksunabhängigkeit,

von den anderen Völkern als eine Stärke, eine Besonderheit empfunden und anerkannt worden sind. Eine bewußte Pflege dieses Ansatzes, eine Stärkung dieser, wenn auch vorerst noch leisen Überlegenheit muß uns ein künstlerisches Übergewicht, eine Geschmacksdomination auf diesem Gebiete und damit auch materielle Einnahmen erringen. Daß dies nur durch Pflege des uns Besonderen, Eigenen — nicht aber durch Nachahmung des anderen Völkern und anderen Zeiten Eigenen — zu erreichen sein wird, bedarf keiner weiteren Ausführung.

Darum ist die künstlerische und technische Ausbildung aller dem Kunstgewerbe dienenden Kräfte weit über das augenblickliche Tagesinteresse der Kunsthandwerker hinaus eine Frage von höchster Wichtigkeit, von nicht zu übersehender wirtschaftlicher Bedeutung geworden. Daß für diese Ausbildung jetzt nicht genug geschieht und daß sie sich bei entsprechender Organisation ohne Aufwendung größerer materieller Mittel in fruchtbarster Weise steigern läßt, sollen die folgenden Ausführungen darlegen.

Die Herstellung des kunstgewerblichen Gegenstandes wie jeden anderen Gegenstandes überhaupt zerfällt in zwei Teile: Die Konzipierung (Vorstellung, Empfängnis) der Form und die Verwirklichung dieser vorgestellten Form durch die Ausführung.

Die Form ist mitbedingt durch den Zweck, dem der Gegenstand zu dienen hat und durch das Material, in dem er zur Ausführung kommen soll. Diese beiden Bedingungen lassen bei gleicher Beachtung ihrer Anforderungen eine Fülle von Variationen der Form zu, und der entscheidende Faktor für die Formgebung ist deswegen das »Gefallen«. Das Gefallen geht durch das Auge und somit ist alle Formgestaltung Gestaltung für das Auge. Entsprechend dem Entstehungsvorgang trennen wir für die Beurteilung des kunstgewerblichen Gegenstandes die Form von der Ausführung, und zwar kann uns die gute Ausführung, wenn wir sie noch so sehr bewundern, nicht mit dem Gegenstand aussöhnen, wenn uns seine Form »mißfällt«, umgekehrt die mangelhafte Ausführung nicht davon abhalten, einen Gegenstand sehr schön zu finden. In der Erfindung der Form erblicken wir das künstlerische — in der Ausführung das handwerkliche Element. Die Form ist der eigentliche Wertträger des kunstgewerblichen Gegenstandes.

Für bestimmte Gebiete des Kunstgewerbes lag früher die Herstellung des Gegenstandes in der Hand einer einzigen Person. Der Entstehungsvorgang — Konzipierung der Form und ihre Verwirklichung durch die Ausführung wurde von einem Einzelnen vollzogen.

Das moderne Prinzip der Arbeitsteilung gelangt heute auch in der kunstgewerblichen Produktion zur Anwendung. Daß das der Güte des Kunstgewerbes geschadet hat, mag sein. Aber eine Aufhebung des Prinzips, wenn auch nur für Teilgebiete der menschlichen Arbeit, wie etwa die kunstgewerbliche Produktion, ist nur zu erwarten wenn die Aufhebung wirtschaftlich profitabler erscheint. Das ist nicht der Fall, und infolgedessen müssen die Bestrebungen zur Hebung des Kunstgewerbes auch in Zukunft mit der Arbeitsteilung bei der Produktion rechnen. Diese Arbeitsteilung überläßt dem einen die Konzipierung der Form und überträgt einem oder mehreren anderen die Ausführung. In anderen Worten: Die Schaffung des eigentlichen Wertträgers, der Form, übernimmt der geistige Arbeiter, der Zeichner, der Künstler, die der Ausführung der technische Arbeiter, der Handwerker Daraus erhellt: Die Güte des zu erzeugenden Kunstgewerblichen Gegenstandes hängt ab von den künstlerischen Qualitäten des Entwerfenden und der technischen Geschicklichkeit des Ausführenden. Daran ändert sich auch nichts, wenn beides in eine Person zusammenfällt.

Wenn die Vereinigung dieser beiden Qualitäten in einer Person als die idealste Bedingung für die Güte des zu erzeugenden Gegenstandes anzusehen ist, so muß, dem Prinzip der Arbeitsteilung Rechnung tragend, das Ziel der kunstgewerblichen Erziehung sein, die verschiedenen an der Herstellung des Gegenstandes beteiligten Personen möglichst zu derselben Einheit zusammenzuschweißen, wie sie eine Person darstellt. Es würde also anzustreben sein: einmal die höchste künstlerische Ausbildung aller derer, die die Natur befähigt hat produktiv, erfinderisch, tätig zu zein, — nur daß diese Ausbildung ruhen muß auf der genauesten Kenntnis aller technischen Vorgänge, die bei der Herstellung eines Gegenstandes sich abspielen — das anderemal die höchste technische Ausbildung aller derer, denen die Natur die erfinderische Gabe versagt hat, die reproduktiv tätig zu sein haben, nur daß diese technische Meisterschaft getragen und geadelt sein muß von wahrhaft künstlerischem Mitempfinden.

Wenn dies im Rahmen unserer modernen Produktion das Ziel der kunstgewerblichen Erziehung ist — welcher Weg führt zu ihm?

Zur Erziehung des Nachwuchses für den Handwerker und Kunstgewerbetreibenden sind vom Staat und von den Städten Schulen gegründet worden, die entsprechend ihrem Lehrprogramm als Fortbildungsschule, Handwerkerschule, Fachschule und Kunstgewerbeschule ihre Aufgabe zur Erziehung der Schüler zu erfüllen suchen. Trotz dieser staatlichen und städtischen Fürsorge, trotz der hohen Mittel und dem unbezweifelten Wollen der Leiter und der Lehrer ist es diesen Schulen bisher nicht gelungen, die aus handwerklichen und kunstgewerblichen Betrieben kommenden Lehrlinge und Gehilfen, wie die unter Umgehung der Praxis gleich die Schule Aufsuchenden, so in ihrer Ausbildung zu fördern, daß die, für die es geschieht, nämlich die selbständigen Meister und die Inhaber kunstgewerblicher Werkstätten und Industrien, damit zufrieden wären und dies anerkennen würden. Im Gegenteil, es ist eine heute immer und immer wieder ausgesprochene Klage, daß die Schulen nicht für den kunstgewerblichen Nachwuchs sorgen, sondern ihn verderben. Die vorgesetzten Behörden und Leiter der Schulen haben sich jedenfalls der dieser Klage zugrundeliegenden Berechtigung nicht verschlossen und sind dazu übergegangen, den vorher rein theoretischen Unterricht an den Schulen in innigere Beziehung zur Praxis zu bringen, dadurch, daß sie den Schulen Werkstätten mit Berücksichtigung der jeweil hauptsächlichen örtlichen Industrien angegliedert haben. Es ist dabei aber ausdrücklich verfügt worden, daß diese Werkstätten nicht bestimmt seien, die praktische Lehre zu ersetzen, und daß durch die in den Werkstätten hergestellten Gegenstände den ortsansässigen Handwerkern und Industrien keine Konkurrenz geschaffen werden dürfe.

Es sei nun zuerst festgestellt, daß somit die Ausbildung

des handwerklichen und kunstgewerblichen Nachwuchses, soweit es sich um die technische Seite handelt, bisher ausschließlich in den Händen der selbständigen Meister und Betriebe liegt, daß also die Klage, es gäbe heute keinen guten kunstgewerblichen Nachwuchs und dadurch keine brauchbaren Hilfskräfte in erster Linie auf die zurückfällt, denen bis jetzt die Ausbildung von Lehrlingen allein obliegt. Der Vorwurf für eine unzulängliche Ausbildung der Lehrlinge trifft nun nicht so sehr die einzelnen Meister und Leiter größerer Betriebe, als die durch unsere ganz moderne Produktionsart veränderten Arbeitsverhältnisse und Bedingungen, die einer Ausbildung der Lehrlinge in der Praxis, wenigstens in der alten Form, nicht mehr günstig sind.
In den größeren Betrieben, die verschiedene Fabrikationszweige vereinigen, hat jede einzelne Werkstatt ihren Werkführer, dem die Ausbildung der der Werkstatt übergebenen Lehrlinge obliegt. Von diesem Werkführer werden in den großen Betrieben nun nicht nur solche Kenntnisse verlangt, die ihn zur Anfertigung und Beurteilung der in der Werkstatt herzustellenden Gegenstände befähigen, sondern er muß auch andere Qualifikationen aufweisen, die ihn für seinen Posten brauchbar erscheinen lassen und nicht unbedingt mit seiner technischen Tüchtigkeit zusammenhängen, wie Ein- und Austeilung der Arbeit, Führung der Lohnbücher usw. Funktionen, die einen großen Teil seiner Zeit in Anspruch nehmen und ihn auch häufiger aus der Werkstatt abrufen. Jedenfalls ist seine Stellung innerhalb des Betriebes so, daß er seine Tüchtigkeit dem Chef gegenüber durch andere Dinge eher beweisen kann, als durch

die gute Ausbildung der Lehrlinge. Vielfach wird bei solchem Werkführer sogar das Bestreben zu finden sein, eben um seine Tüchtigkeit zu beweisen, die Lehrlinge sehr schnell zu irgend einer bestimmten Arbeitsleistung zu erziehen, die gestattet, den Lehrling für den Betrieb gewinnbringend zu verwenden, und der Werkführer wird dann leicht geneigt sein, den Lehrling bei dieser Arbeit zu belassen. Die in der Werkstatt beschäftigten Gehilfen arbeiten entweder in Akkord, in welchem Falle sie sich um die Lehrlinge überhaupt nur kümmern, wenn ihnen gestattet wird sie zur Hilfeleistung für sich zu verwenden, was in der Regel nicht geschieht, oder aber die Gehilfen arbeiten zu einem bestimmten Lohnsatz, sind aber auch dann gezwungen, ihre Zeit ausschließiich der Arbeit zuzuwenden, weil es für die Rentabilität eines Betriebes von größter Wichtigkeit ist, daß die Herstellung der Gegenstände unter dem Kalkulationspreis bleibt, nicht aber ihn übersteigt. Also auch diese Gehilfen können den Lehrlingen keine große Zeit und Aufmerksamkeit schenken, wobei noch zu beachten ist, daß nicht jeder in einer Werkstatt beschäftigte Geselle die zu einer Lehrlingsausbildung nötige Tüchtigkeit, pädagogische Veranlagung und Liebe besitzt. Die Folge dieser Unmöglichkeit in großen Betrieben tüchtige Lehrlinge zu erziehen, äußert sich denn auch dadurch, daß sehr viele Betriebe prinzipiell Lehrlinge nicht mehr einstellen.

Der kleine Handwerksmeister, der eine eigene Werkstatt mit wenigen Gehilfen besitzt und die berufenste Stelle für eine gute Ausbildung der Lehrlinge sein sollte, ist heute in einer schwierigen Lage. Die größere In-

dustrie verdrängt ihn Schritt für Schritt und nimmt ihm durch ihre Kapitalkräftigkeit die großen Arbeiten und guten Aufträge fort. Die Tätigkeit des kleinen Meisters in diesem für ihn so schweren Kampf gegen den Großbetrieb besteht heute vielmehr in einer verkleinerten Nachahmung der Tätigkeit des Industriellen als in eigener handwerklicher Arbeit, d. h. der kleine Meister mit seinen Gehilfen kann seinen kleinen Betrieb nur rentabel erhalten, wenn er den größten Teil seiner Zeit ausschließlich der organisatorischen Tätigkeit: Besuchen der Kundschaft, Ausarbeitung von Kostenanschlägen, Verteilung der Arbeit usw. widmet. Das Prinzip gewinnbringender Tätigkeit ist ja gerade, daß man jede Arbeit, die ein anderer, der billiger ist, auch tun kann, an einen anderen abgibt und sich nur das vorbehält, was eben ein anderer nicht kann. Zur eigenen handwerklichen Arbeit in der eigenen Werkstatt also kommt der kleine selbständige Meister wenig, dementsprechend kommt er auch wenig zu einer guten Ausbildung der Lehrlinge. Mehr aber noch vielleicht, wie die großen Betriebe, ist der kleine Handwerker gezwungen, die Arbeitskraft seiner Lehrlinge zu einer gewinnbringenden zu gestalten. Für die vielseitige Ausbildung der Lehrlinge fehlen ihm meistens auch die entsprechenden Aufträge. Die großen Betriebe könnten den Lehrlingen wohl eine vielseitige Ausbildung geben, aber die straffe Organisation verbietet den Arbeitern und Lehrlingen das Betreten jeden Raumes, in dem sie nicht beschäftigt sind, so bleiben die Lehrlinge auf eine Werkstatt und eine Teilarbeit beschränkt.
Wenn also der kleine selbständige Meister heute nicht mehr imstande ist, für eine gute Ausbildung der Lehr-

linge Sorge zu tragen, kann ihm daraus kein Vorwurf gemacht werden, der harte Kampf um die Lebensmöglichkeit stellt wichtigere Anforderungen. Aber die Tatsache, daß weder die großen Betriebe noch die kleinen Werkstätten (mit verschwindenden Ausnahmen) heute eine gute Ausbildung von Lehrlingen garantieren können, bleibt bestehen.

Noch ein anderer Gesichtspunkt drängt sich auf, wenn man an die Ausbildung von Lehrlingen denkt. Bei allen höheren Berufen, die eine andere als die gewöhnliche Volksschulbildung voraussetzen, ist die »progressive« Ausbildung des Berufsanwärters selbstverständlich. Während der ganzen Dauer der Schulzeit schon geschieht die Ausbildung der Schüler nach einem System stetig steigender Anforderungen, die dann je nach dem Beruf in dem Einjährigen-Examen oder dem Abiturium gipfeln. Daß ein solcher Schüler etwa vom 14. Jahr ab nun auch schon etwas verdienen müsse, kommt niemandem in den Sinn zu verlangen, und auch nach Abschluß der Schulbildung geschieht die weitere Ausbildung für den Beruf immer nur von dem einen Gesichtspunkt aus, dem Betreffenden die Ausbildung in kürzester Zeit zu garantieren.

Nun gehört wirklich nicht weniger dazu, ein guter Handwerker oder Kunsthandwerker zu sein, als einen der rein geistigen Berufe untergeordneter Art gut auszufüllen. Und doch wird von dem Lehrling, der mit 14 Jahren in eine Werkstatt eintritt, verlangt, daß er schon verdiene, daß er durch seine Tätigkeit gewinnbringend für die Werkstatt werde. Etwas verdienen und sich ausbilden sind aber zwei Dinge, die in keinem notwendigen Zusammenhang miteinander stehen. Daß die Erlernung kunsthandwerklicher Berufe es ermöglicht, ist richtig, und daß diese Möglichkeit ausgenutzt werden muß, auch. Das wird an späterer Stelle seine Anwendung erfahren. Aber die Ausbildung des Lehrlings darf darunter nie leiden, die muß genau so gut von dem Gesichtspunkt der möglichst besten Ausbildung in möglichst kürzester Zeit aus geleitet werden, wie das bei anderen Berufen der Fall ist. Aber gerade diese Art Ausbildung, die nur die Ausbildung zum Ziel hat und von gar keinen Nebenabsichten geleitet wird, kann nicht von Werkstätten und Betrieben garantiert und gefordert werden. Denn solange eine solche Ausbildung nicht von allen, die überhaupt Lehrlinge einstellen, vermittelt wird, würden die einen für die anderen Opfer bringen. Darauf lassen sich kapitalistische Unternehmungen nicht ein. Hier ist der Punkt, wo Staat und Städte einzugreifen haben. Die bisher bestehenden Schulen für handwerklichen und kunstgewerblichen Unterricht müssen so verändert werden, daß sie die Ausbildung der Lehrlinge selbst übernehmen können.

Nun ist einleuchtend, daß das nur geschehen kann an wirklichen Arbeiten, d. h. an Arbeiten, die von der Praxis bestimmt sind. Die Stadt, die die Ausbildung der Lehrlinge für kunstgewerbliche und damit zusammenhängende handwerkliche Berufe selbst in die Hand nehmen will, muß sich entschließen, selbst zu produzieren. Sie würde eine Anzahl von Werkstätten errichten müssen in der Art, wie jetzt z. B. die »Münchener Vereinigten Werkstätten«, die »Dresdner Werkstätten für Handwerkskunst« und ähnliche Betriebe organisiert sind, und die Arbeiten, die in diesen Werkstätten hergestellt würden, wären alle die Dinge, deren die Stadt jetzt bedarf und die sie bisher den einzelnen Firmen der Stadt in Auftrag gibt. Dieser Schritt, ihren Bedarf an Inneneinrichtung eines Baues mit allem, was dazu gehört, sowie manche andere Dinge, selbst herzustellen, ist für eine Stadt nicht so fremdartig, als es auf den ersten Anblick scheint, sicher würde auch die Schule gar nicht in der Lage sein, die ganze für die Stadt nötige Produktion allein zu vollziehen. Die meisten Städte haben heute ihre eigenen Gas-, Wasser- und Elektrizitätswerke, sie sind Eigentümer der Straßenbahnen, sie haben ihr eigenes Hochbauamt, ihre eigene Druckerei und noch manches andere in eigener Regie, was allein zu betreiben und zu verwalten ihnen vorteilhafter erscheint, als die Vergebung von Aufträgen an Firmen. Der Staat hat gleichfalls seine eigenen Werkstätten für den Bau und Bedarf seiner Eisenbahnen, er hat seine eigenen Gewehrfabriken, meistens eine eigene Porzellan-Manufaktur und anderes.

Wenn die Stadt sich entschließt, die Ausbildung der Lehrlinge selbst in die Hand zu nehmen, und deswegen soviel, als das erfordert von ihrem Bedarf an Dingen, die mit dem Handwerk und Kunstgewerbe zusammenhängen, selbst zu produzieren, wird sich die Organisation einer solchen Schule ungefähr wie folgt gestalten, wobei zu berücksichtigen ist, daß nur die Idee entwickelt werden kann, die Ausarbeitung im einzelnen aber nur für eine bestimmte Schule und bestimmte örtliche Verhältnisse möglich ist.

Der die Volksschule Verlassende wählt wie bisher seinen Beruf und tritt in eine dieser städtischen Werkstätten, die als eine Gebäudegruppe beieinander zu liegen haben und natürlich mit allen modernen maschinellen Einrichtungen versehen sein müssen, als Lehrling ein. Jede einzelne Werkstatt steht unter künstlerischer Leitung und hat ihren eigenen Werkmeister, der natürlich von ausgesuchter Tüchtigkeit sein muß. Der Lehrling wird hier in einem vielleicht fünfstündigen täglichen Unterricht in seinem Handwerk unterwiesen. Die Arbeiten, die ihm gegeben werden, werden nur darnach ausgesucht, daß er an ihnen lernt und in seiner Handfertigkeit und Geschicklichkeit fortschreitet. Vielleicht drei Stunden täglich werden einem theoretischen Unterricht gewidmet sein, der in erster Linie der sein wird, den jetzt die Fortbildungsschule ihren Schülern erteilt und der mehr ihre allgemein geistige Ausbildung als die Unterstützung ihrer fachlichen Bildung zum Ziele nimmt. Dafür wird durchschnittlich eine Stunde täglichen Unterrichtes im Zeichnen oder Modellieren für die ersten zwei Jahre genügen. Das ganze Gewicht ist auf die Ausbildung der Handfertigkeit zu legen und es ist anzunehmen, daß fünf Stunden täglich bei wirklich »progressiver« Ausbildung ein größerer Zeitaufwand sind, als er jetzt den Lehrlingen bei ihrer achtstündigen Arbeitszeit in Werkstätten und Betrieben für ihre »eigentliche« Ausbildung vergönnt ist. Dieser Werkstattunterricht wird drei bis vier Jahre in Anspruch nehmen bei in der letzten Hälfte der Zeit gesteigerter Ausbildung in den theoretischen Fächern.

Spätestens nach dem ersten Jahr des handwerklichen Unterrichtes würden die Schüler, die für irgendwelche handwerkliche Tätigkeit unveranlagt sind wieder entlassen werden. Unsere großen Betriebe können eine Fülle von

Hilfskräften, die keinen eigentlichen Beruf erlernt haben, sondern die eben nur Arbeiter und Handlanger zu sein brauchen, nicht entbehren. Wer zu allen handwerklichen Tätigsein unveranlagt ist, muß dann eben mit solcher Tätigkeit zufrieden sein.

Während der drei= bis vierjährigen Lehrzeit wird es möglich sein, die Lehrlinge auf ihre schöpferische Fähigkeit hin zu prüfen und diejenigen, die sich hier besonders veranlagt zeigen, werden nun weitere Ausbildung in Klassen genießen, die denen unserer heutigen Kunstgewerbeschule entsprechen. Sie werden berufen sein als schöpferische Kräfte, als Entwerfende später der kunstgewerblichen Industrie zu dienen, ausgerüstet mit den handwerklichen Kenntnissen und Fertigkeiten, die sie in ihrer Lehrzeit erworben haben. Die Schüler, die sich zu einer schöpferischen Tätigkeit nicht befähigt zeigen, und das wird die große Mehrzahl sein, werden in der Rolle der Ausführenden verbleiben und nach zurückgelegter Lehrzeit in andere Werkstätten eintreten, wobei es ihnen unbenommen bleibt, ihre Ausbildung durch Abendunterricht weiter zu betreiben, wie es jetzt auch geschieht. Damit würde sich auch der Vorwurf erledigen, der jetzt den Kunstgewerbeschulen gemacht wird, daß sie die aus der Praxis Kommenden der Praxis entfremden, zu Zeichnern ausbilden und so eine Überproduktion an Zeichnern und Unterproduktion an Ausführenden herbeiführten. Ich lasse dahingestellt, ob dies bis jetzt schon der Fall ist; aber richtig ist, daß sehr viele von den Schülern, die einen praktischen Beruf erlernt haben, ihre Ausbildung mit allen Mitteln und angestrengtestem Fleiß so weit treiben, daß sie in der Lage sind, unter Aufgabe ihrer früheren handwerk=

lichen Tätigkeit, als Zeichner, sei es selbständig oder, was weitaus öfter geschieht, in großen Betrieben, ihren Unterhalt zu gewinnen. Dieser hier zu Tage tretende Trieb, von einem zuerst ergriffenen Beruf zu einem anderen, der angesehener und gewinnbringender ist, überzugehen, kann unmöglich den Schulen auf das Schuldkonto geschrieben werden. Wir haben es hier mit einer sehr selbstverständlichen Erscheinung zu tun, die sicher immer bestanden hat und sich auch nicht aufheben lassen wird. Durch Zwang kann man niemand zum Handwerk zurückführen, der es verlassen will, und solange der Handwerker in seiner sozialen Stellung geringer angesehen ist als der Zeichner, werden, mit größerer Empfindsamkeit ausgestattete junge Menschen immer wieder versuchen, zu dieser höher angesehenen Stellung zu gelangen. Nicht in Abrede zu stellen ist aber auch, daß, auf dem Standpunkt ihrer heutigen Entwicklung, die Schulen diese Tendenz wider Willen unterstützen, dadurch, daß, was unvermeidlich war, die moderne kunstgewerbliche Bewegung ihren Einzug in die Kunstgewerbeschulen gehalten hat, hat sich in der Unterrichtsmethode eine Änderung vollziehen müssen. Vorher hatten die Schüler im Zeichnen und Modellieren, soweit es sich nicht um Naturstudien handelte, Vorlagen oder Werke historischer Stilrichtungen kopieren müssen. Die Mehrzahl der Schüler kam über dieses Kopieren während der Studienzeit nicht hinaus und nur für wenige krönte sich das Studium durch Entwerfen in einem gegebenen Stil, wobei dann die Vorlagenwerke sich in ihrer Bedeutung noch erhöhten. Dadurch blieb den Schülern, selbst den zu eigenen Entwürfen Vorgeschritten, der Abstand ihres Könnens von diesen Werken der Ver-

gangenheit und wirklicher Meister im Bewußtsein. Zweifellos trat ja auch damals mit dem Schulbesuch sofort die Loslösung von der Praxis ein, denn in den Schulen wird nicht praktisch und nicht für die Praxis gearbeitet, aber das Verbleiben in der Rolle des Kopierenden alter Werke bewahrte doch das Gros der Schüler davon, sich die Fähigkeiten zum schöpferischen Künstler anzudichten und erhielt sie somit der praktischen Tätigkeit.
Jetzt ist das Kopieren aus den fortgeschrittenen Kunstgewerbeschulen so gut wie verschwunden. Jetzt gibt es nur noch Naturstudium und Entwerfen. Das ist gut und innerhalb des Modernen wäre das Kopieren auch nicht ratsam. Die Dinge ändern sich zu schnell in der Wertung. Noch liegen keine Formenausdrücke so fest, daß sie als allen verständliche Sprache weitergegeben werden können. Aber das ändert eben auch die Taktik dem Schüler gegenüber. Mit dem Naturstudium wird begonnen, aber dann folgt sofort die Ableitung als selbständig gefundenes Ornament oder sonstige gegenständliche Anwendung. Es beginnt sogleich die eigene schöpferische Tätigkeit. Der gelernte Schreiner, der die Schule betritt, um sich weiter auszubilden, lernt nicht besser schreinern, sondern entwirft Möbel, erst einzelne, dann einen ganzen Raum, der Beleuchtungskörper, der Teppich, Tapeten, Vorhänge kommen hinzu und der Innenarchitekt ist als nächste Sprosse erklommen. Der Buchbinder lernt im Buchbinden wohl nicht viel hinzu, aber er lernt sein Naturstudium in Bucheinbände ummünzen. Dafür binden andere, die Zeichner werden wollen, im Werkunterricht Bücher, damit sie eine Ahnung von der Technik bekommen, die Damen machen Ziselierversuche, die

Schüler Batiken usw. Wo eben weder kopiert werden kann, noch praktisch gearbeitet werden darf, bleibt neben dem doch nur als Ergänzung oder Ausgangspunkt zu betrachtendem Naturstudium nur noch die künstlerisch schöpferische Tätigkeit übrig. Dieses eigene Formenfinden geht jetzt bis in die letzten Klassen der Fortbildungsschulen hinunter, wo Dekorationsmaler und Anstreicherlehrlinge Wandfriese und Plafonds entwerfen und Glaserlehrlinge Entwürfe für Bleiverglasung ersinnen. Nun ist gewiß nicht zu leugnen, daß mit dieser Entfesselung auch der geringsten schöpferischen Kraft, die den Industrien beinahe verhängnisvoll geworden wäre, in den guten Schulen in kurzer Zeit ein künstlerisches Niveau erreicht worden ist, das alles aufwiegt, was man den Schulen sonst vorzuwerfen haben mag, und eine jetzige Schulausstellung erscheint gegen eine frühere mit den kopierten Blättern und Gypsmodellen gewiß wie die Darbietung einer Künstlerkorporation. Es ist aber auch nicht zu verkennen, daß diese Methode, in jedem Jungen, der nach kurzer Lehrzeit oder auch ohne diese die Kunstgewerbeschule aufsucht, den zukünftigen Raumkünstler zu sehen und ihm dementsprechend zu erziehen, nicht aufrecht erhalten werden kann. Wir wollen nicht zurück und unsere Schulen sollen die Kunstanschauung unserer Zeit und nicht der einer anderen dienen, aber wir brauchen ein Reservoir, das zunächst alle die lernbegierigen Elemente aufnimmt und aus dem dann die besten für eine höhere Ausbildung ausgelesen werden können. Dieses Reservoir ist die lebendige, wirklicher Bestimmung dienende Arbeit. Ohne diese sind die Schulen, unter den veränderten Umständen jetzt noch mehr wie früher, der Wider-

part handwerklicher Ausbildung und werden es auch bleiben.
Unter den Klassen, die die Ausbildung der schöpferisch Befähigten zu vollziehen haben, stehen die Klassen für Außen- und Innenarchitektur an erster Stelle. Die dominierende Rolle der Architektur und die Abhängigkeit aller mit ihr zusammenhängenden Berufe von ihr ist heute unbestritten.
Die in den Architekturklassen hergestellten Entwürfe werden weitergegeben an die Malklassen, die Bildhauerklassen und die Zeichenklassen. Bei diesen Entwürfen ist an geeigneter Stelle Rücksicht darauf genommen worden, daß malerischer oder plastischer Schmuck, Mosaik oder Intarsien zur Verwendung kommen sollen. Unbekümmert darum, ob der Schüler der Architekturklasse, der den Entwurf des Hauses oder des Raumes gemacht hat, zu seiner eigenen Ausbildung alle Details oder auch den Schmuck selbst ausarbeitet, bekommen nun die Schüler der Mal-, Zeichen- und Modellierklassen die Aufgabe, den vorgesehenen Schmuck zu entwerfen und auszuarbeiten, ebenso auch alle Details, die am Bau oder im Raum benötigt werden, als Türgriffe, Fensterriegel, Beleuchtungskörper usw. Diese Einzelobjekte, die jetzt in den Klassen gewöhnlich als Aufgabe für sich behandelt werden, werden einen anderen Sinn bekommen, wenn ihre Verwendung beabsichtigt ist. Diese Entwürfe kommen nun in den Werkstätten zur Ausführung. Der entwerfende Schüler, der ja vorher seine praktische Lehre in eben diesen Werkstätten durchgemacht hat, wird bei dem Entwurf schon mit allen technischen Anforderungen vertraut sein und sie berücksichtigen, er wird aber auch ferner die Ausführung in den Werkstätten, sofern er sie

nicht hier und da selbst vornimmt, überwachen, und die innige Verbindung zwischen Entwerfenden und Ausführenden, die früher dadurch gegeben war, daß beides in eine Person zusammenfiel und die durch unser modernes Prinzip der Arbeitsteilung aufgehoben worden ist, wird dadurch nach Möglichkeit und modernen Bedingungen entsprechend wieder hergestellt.

Die Vervollkommnung der Mal-, Zeichen- und Modellierklassen bis zu einem Grad, daß die Schüler, die aus ihnen hervorgehen, wirklich imstande sind, auch den von der Praxis an sie gestellten Aufgaben figuraler Art gewachsen zu sein und infolgedessen den Besuch einer Akademie nicht mehr nötig haben, ist dann nur ein notwendiger und selbstverständlicher Schritt.

Der Ausbau dieser Schulen nach oben durch Angliederung einiger Klassen für hohe Kunst würde von fruchtbringendster Bedeutung sein, da die Schüler dieser Klassen, selbst wenn sie nicht, durch die Werkstätten gegangen sind, doch durch den ganzen praktischen, mit dem Leben zusammenhängenden Betrieb, den sie miterleben, in günstigstem Sinne beeinflußt werden.

Es würde also möglich sein, die ganze kunstgewerbliche und künstlerische Erziehung von der handwerklichen Ausbildung bis zur höchsten Kunst zusammenzufassen, und in anderer Form würde damit wieder hergestellt sein, was von den Malern und Bildhauern der Renaissance rühmend erzählt wird, daß sie erst Handwerker gewesen seien, dann zu einem Künstler in die Werkstatt gekommen wären und dann erst zu einer eigenen selbständigen Ausübung ihrer Kunst geschritten wären

(Lebhafter Beifall!)

VORSITZENDER:
Meine Herren! Zur Diskussion haben sich 14 Herren gemeldet. ‹Bewegung›. Es wird deshalb gebeten, sich möglichster Kürze zu befleissigen. Ich möchte für die Rededauer keine bestimmte Zeit festsetzen, ich glaube vielmehr, daß wir sie der Selbsteinschätzung überlassen, und ich hoffe, daß wir nicht schlecht dabei fahren werden. Zur Einleitung erteile ich Herrn Prof. Scharvogel das Wort.

PROF. SCHARVOGEL:
Meine Herren! Ich möchte der Ermahnung, die unser Herr Vorsitzender soeben gegeben hat, sich kurz zu fassen, in weitem Umfange nachkommen. Es ist mir dies umsomehr möglich, als von den Herren Rednern schon Vieles vorweg genommen worden ist. Ich möchte nur angesichts der Vorschläge, die bis jetzt aufgetaucht sind, und die sich in der Hauptsache nach einer Richtung bewegt haben, noch der fachlichen Ausbildung und der Gründlichkeit der Ausbildung das Wort reden. Den bisher darüber gemachten Ausführungen kann ich beitreten, aber ich möchte es nicht unterlassen, eine Einschränkung nach der Hinsicht zu machen, daß nicht für alle Fächer schablonenmäßig verfahren werden darf. Ich glaube, man wird beispielsweise die Keramik, den Möbelbau und die Architektur von ganz verschiedenen Gesichtspunkten aus bearbeiten müssen, als Fachmann muß ich sagen, daß ich fest davon überzeugt bin, daß die bisherige Arbeit der Kunstgewerbeschulen auf dem Gebiet der Keramik als so ziemlich absolut fruchtlos anzusehen ist, und zwar aus dem einfachen Grunde, weil die Kunstgewerbeschule

die Möglichkeit nicht bietet, mit der hinreichenden Gründlichkeit zu verfahren. Diese kann nur die keramische Fachschule darbieten. Es existieren in Deutschland im Ganzen drei solcher Fachschulen, zwei davon in Preußen und eine in Bayern. Die bayerische Fachschule, die mir besonders genau bekannt ist, dient lediglich dem einfachen Töpfergewerbe, während die preußischen Fachschulen sich der gesamten Keramik zuwenden. Insbesondere zeichnet sich unter den preußischen Fachschulen diejenige von Bunzlau aus. Sie ist ausgezeichnet organisiert und leistet in technologischer und wissenschaftlicher Hinsicht ganz Vorzügliches, was von der Ausbildung nach der künstlerischen Seite hin jedoch nicht gesagt werden kann. Ich habe in meiner fünfundzwanzigjährigen Praxis viel mit den Abiturienten von Kunstgewerbeschulen zu tun gehabt und habe die Wahrnehmung machen müssen, daß mit diesen Leuten meist nicht viel anzufangen war, weil sie sich hauptsächlich dem künstlerischen Gebiet zugewandt hatten und den auftauchenden Schwierigkeiten nicht mit vollem Ernst begegnen wollten. Auf der anderen Seite habe ich gefunden, daß nur wenige Künstler, Maler und andere mit Erfolg auf unserem Gebiet arbeiten konnten, weil auch sie es ablehnten, in die großen Schwierigkeiten unseres Handwerks einzudringen. Wenn für unser Handwerk etwas geschehen soll, so plädiere ich entschieden für künstlerisch geleitete Fachschulen, die Aufträge bekommen müssen, um erfolgreich arbeiten zu können und die die Schüler mit den Schwierigkeiten und der außerordentlichen Differenzierung unseres Gewerbes dermaßen in Kontakt bringen, daß sie für die Praxis tauglich werden. ⟨Lebhafter Beifall⟩.

VORSITZENDER:
Das Wort hat Herr Ministerialrat Dr. v. Blaul.

K. BAYR. MINISTERIALRAT, DR. V. BLAUL (REF. IM KGL. BAYR. KULTUSMINISTERIUM.)
Meine Herren! Zunächst bitte ich um Entschuldigung, daß ich das Wort ergreife. Ich bin kein Fachmann, ich bin kein Künstler, und bin auch kein Handwerker, aber ich glaube, meine Legitimation zu Ihnen zu sprechen daraus ableiten zu dürfen, daß ich wohl eineinhalb Jahrzehnte auf diesem Gebiet zu arbeiten berufen war, soweit ich überblicken kann, werden in diesem Saale wenige Herren sein, die solange Zeit der Mitarbeit auf diesem Gebiet für sich in Anspruch nehmen können. Was ich mir nur erlauben möchte, Ihnen zu sagen, meine Herren, das ist etwas über die praktischen Erfahrungen, die ich auf diesem Gebiet mit anderen Herren gemacht habe.
Es ist gestern gesagt worden: »daß hier versammelt sei eine außerordentliche Summe von Idealismus.« Das ist richtig meine Herren. Die ungeheure treibende Kraft des Idealismus ist sehr deutlich zu spüren. Daß aber ein solcher Bund auf den Boden der realen Wirklichkeit zurückgehen muß, das ist Ihnen wohl auch selbst bewußt. Von dem Boden der realen Wirklichkeit aus möchte ich einige Bemerkungen zu den Leitsätzen oder zu dem Programm, wie Sie es nennen wollen, zu machen mir erlauben. Ich will dabei hervorheben, daß was ich Ihnen zu sagen habe, eine Reihe von Herren bestätigen können, die unter Ihnen sitzen, Herren, die praktisch mit mir die Erfahrungen gemacht haben.
Ich habe seit Jahren die Angelegenheiten der kunstgewerb-

lichen Fachschulen, d. h. die speziell für einzelne Kunstgewerbe und für das Gewerbe überhaupt organisierten Fachschulen zu bearbeiten und es gibt keine Spezialschule im Lande, die ich nicht ganz genau kenne, deren Entwicklung ich nicht seit ungefähr eineinhalb Jahrzehnten verfolgt hätte, und manche gibt es dabei, die ich selber verbrochen habe. Ich spreche eigentlich nicht bloß als Vertreter der bayrischen Unterrichtsverwaltung, sondern ich bitte, auch meine persönlichen Wahrnehmungen mit Nachsicht und Wohlwollen entgegenzunehmen.

Der vornehmste Leitsatz lautet: Die Erziehung des gewerblichen Nachwuchses soll in der Hauptsache eine Angelegenheit des Gewerbes sein. Dieser Satz ist ganz und voll zu unterschreiben. Es wäre aber irrig, wenn man annehmen wollte, daß etwa der Staat oder eine Stadt, hier irgendwie Aufgaben an sich gerissen hätte, zu denen er nach der Natur der Sache nicht berufen war. Was war oder ist der Staat auf diesem Gebiet gewesen? Eigentlich nichts anderes als eine Art Lückenbüßer, der zu einer Zeit einspringen mußte, als es hieß: Wo bleibt der Staat, warum sorgt er nicht dafür, daß nachgeholfen wird? So kam er dazu, sich dieser Frage weitgehender anzunehmen, und das geht auf Jahrzehnte zurück. Aber der Grundsatz, daß das Handwerk und Gewerbe selbst zugreifen soll, der ist und bleibt unanfechtbar. Ich habe einmal der Eröffnung einer solchen Handwerkerfachschule oder Spezial-Kunstgewerbeschule angewohnt und die Eröffnung zu vollziehen gehabt, und ich erinnere mich noch ganz deutlich, daß ich damals die Worte sagte: »Der Tag soll ein Freudentag sein, an dem diese Schule überflüssig geworden ist«,

d. h., an dem die ganze Ausbildung in dem Handwerk so gestaltet ist, daß man einer solchen Krücke nicht mehr bedarf. Wir sind wohl darin also einig, daß dieser erste Leitsatz richtig sei.
Aber nun kommt das weitere. Es heißt hier: »Die Formen, in denen sich die Verschmelzung d. h. die Heranziehung von Gewerbetreibenden als Lehrer, als überwachende Kommissionen u. a. m. vollzieht, müssen der Einzelentscheidung überlassen bleiben.« Das weist auf praktische Erfahrung hin.
Im Einzelfall nimmt sich diese Heranziehung oft eigentümlich aus: man muß da unterscheiden zwischen Großstädten und den in der Diaspora gelegenen Anstalten. In den großen Städten tut man sich leicht, aber in der Diaspora bemühen wir uns seit Jahren, das Handwerk mit heranzuziehen, sowohl in Unterrichtserteilung, wie in Leitung und Beaufsichtigung der Schulen. Es ist außerordentlich schwer, den Handwerksmeister in gewissem Sinne zum Schulmeister zu machen, fast ebenso schwer, wie es schwierig ist, aus dem Schulmeister einen Handwerker zu machen. (Sehr richtig!)
Das sind Aufgaben, die sich in der Praxis außerordentlich schwer lösen lassen. Wenn Sie einen Handwerker soweit gebracht haben, daß er in der Tat sich mit vollem Eifer der Unterrichts-Aufgabe widmet, so werden Sie die unangenehme Wahrnehmung machen müssen, daß er nach wenigen Jahren kein Handwerker mehr ist, daß er aus dem Handwerk herausgetreten ist, und daß er Anforderungen stellt, in eine sogenannte staatliche Stellung zu kommen. Wir werden sehr erfreut sein, wenn wir Ihre Mitwirkung in diesem Punkte erhalten könnten,

wenn Sie uns behilflich sind, diese Schwierigkeiten zu lösen, denn das ist zweifellos, daß eine sachliche Ausbildung am besten vom Handwerksmeister ausgeht.
Weiter heißt es hier: »Der Unterricht in den Fortbildungsschulen soll in den Tagesstunden stattfinden.« Das ist eine jetzt allgemein anerkannte Forderung, die bei uns in Bayern, Gott sei Dank, im großen und ganzen durchgeführt ist. Aber daß das nicht so einfach ist, meine Herren, und daß wir immer wieder nachhelfen müssen, darauf mache ich ganz besonders aufmerksam. Da wäre es sehr zweckmäßig, wenn man nach allen Richtungen die Korporationen unterstützte, die für die Durchführung des Unterrichts während der Tageszeit sind. Wir haben einzelne Kreise, wo das nicht der Fall ist, und wo es der praktischen Mitarbeit der verehrten Herren bedarf.
Ich gehe weiter zu einem Punkt über, der über die Vielgestaltigkeit und Dezentralisation des Unterrichts und über die Heranziehung des Handwerksmeisters zu dem Unterricht unter Weiterbetrieb seines Gewerbes handelt: soll den Lehrwerkstätten oder den Schulen die Befugnis erteilt werden, unter Umständen selbst zu produzieren, damit der Arbeiter in seinem Gewerbe lebendig bleibt? Sie wissen, daß bis in die höchsten Schulen hinauf die Ausübung der künstlerischen Tätigkeit eine naturgemäße Sache ist. Auf sie kann der Künstler nicht verzichten. Aber machen Sie dies praktisch einmal im dezentralisierten Schulwesen durch! Daß man da die größten Schwierigkeiten mit dieser Tendenz hat, das kann ich Ihnen versichern.
Nun kommt die Besetzung der Direktorstellen mit Künst-

lern. Auch das ist in der Großstadt sehr schön. Da finden sich die künstlerischen Kräfte, aber draußen in der Provinz, da tut man sich sehr hart. Daß jemand, der wirklich etwas leistet, draußen aushält, dazu bedarf es eines großen Idealismus, und ich wünsche nur, daß der Idealismus, der diese hochverehrten Kreise durchzieht, im Einzelfalle so wirksam ist, daß, wenn an jemand das Ansuchen gestellt wird, als Pionier hinauszuziehen und eine solche Aufgabe zu übernehmen, keine Fehlbitte getan wird. (Heiterkeit).

Wir haben, meine Herren, Versuche verschiedener Art gemacht, auch den Versuch, Herren zu engagieren, daß sie nur auf einige Jahre aufs Land hinausgehen um dann wieder in die Großstadt zurückzukehren, es sollten dann andere kommen zur Ablösung, ungefähr alle drei oder vier Jahre. Das hat anfangs gut eingeschlagen. Die jungen Kräfte sind frisch ins Zeug gegangen und haben sich bewährt. Als aber die drei Jahre vorüber waren, wollte der Direktor die bewährten Kräfte nicht fahren lassen, und die jungen Leute wollten nur dableiben in staatlicher Anstellung mit Pensionsrechten. Da war es mit dem Auswechseln wieder nichts.

So liegen die Dinge in der Praxis. Meine Worte sollten nur den Zweck haben, sie auf die reale Wirklichkeit recht deutlich hinzuweisen, und die Versicherung abzugeben, wie außerordentlich dankbar wir sein werden, wenn der Werkbund mit dem frischen Zug, mit dem er begonnen hat, uns in der Durchführung dieser Aufgaben. werktätig unterstützt. (Stürmischer Beifall!)

VORSITZENDER:
Das Wort hat Herr Geheimer Oberregierungsrat Dönhoff.

GEHEIMER OBERREGIERUNGSRAT DÖNHOFF (VORTRAGENDER RAT IM KGL. PREUSSISCHEN MINISTERIUM FÜR HANDEL UND GEWERBE.)
Meine Herren! Nachdem mein verehrter Herr Vorredner mir manches vorweg genommen, was auch ich sagen wollte, werde ich suchen weniger auf Einzelheiten als auf die allgemeinen Gesichtspunkte einzugehen. Die Legitimation, die der Herr Vorredner für sich in Anspruch genommen hatte, möchte ich auch meinerseits für mich beanspruchen. Wenn auch nicht eineinhalb Jahrzehnte, so habe ich doch ungefähr ein Jahrzehnt in Preußen mit dem Gewerbeschulwesen amtlich zu tun und über ähnliche Erfahrungen, wie sie von Herrn Dr. v. Blaul gemacht worden sind, könnte ich auch meinerseits berichten.
Bei den heutigen Verhandlungen ist mir nun wieder einmal zum Bewußtsein gekommen, daß die Verschiedenartigkeit der Verhältnisse und die Schwierigkeiten, die sich für eine allgemeine Regelung ergeben, zu wenig berücksichtigt und gewürdigt werden. Ich muß dem Referat des Herrn Dr. Dohrn nachsagen, daß in ihm am schärfsten die Erkenntnis hervortrat, wie schwierig es ist, allgemeine Sätze aufzustellen: aber bei den anderen Referaten kamen Anregungen vor, die nach meinen Erfahrungen lediglich auf örtlichen Verhältnissen, örtlichen Wünschen und Erfahrungen beruhen, und die nicht wohl in der Form von Resolutionen den Regierungen zur Berücksichtigung überwiesen werden können.

Wenn wir von den Fortbildungsschulwesen oder den Gewerbeschulen oder Kunstgewerbeschulen sprechen, so bedeuten diese Begriffe etwas anderes, jenachdem es sich um bayrische, sächsiche oder preußische Verhältnisse handelt. Die Kunstgewerbeschule, die in Berlin oder in der Rheinprovinz gelegen ist, muß vollständig anders organisiert sein, als eine in kleineren Orten der östlichen Landesteile. Wenn hier und da den in diesem Kreise berechtigter Weise vertretenen Forderungen nicht völlig entsprochen wird, so liegt dies an Verhältnissen, wie sie Herr Ministerialrat Dr. v. Blaul geschildert hat. Helfen Sie uns Künstler, wie Sie sie haben wollen an die kleineren Orte bringen! Die Herren, die mit mir an der Verwaltung der Schulen teilnehmen, werden hier bestätigen, wie wir öfter bei den Versuchen Künstler an diese kleineren Orte hinzusetzen, nach vier Wochen schon von ihnen hörten, daß sie es dort nicht aushalten können. Ich habe einen Fall erlebt, wo schließlich sich die Verhandlungen, die wir mit einem zum Direktor auserssehenen Künstler hatten, zu der Forderung verdichteten, 1.: Wir sollten die Lehrerschaft entlassen, 2.: Wir sollten die Mehrzahl der Schüler entlassen und nur einige wenige ausbilden und 3.: es solle die Schule von dem Ort, wo sie war, an einen anderen Ort verlegt werden. (Große Heiterkeit.)

Sie sehen es ist sehr viel schwieriger die Schulen mit guten Kräften auszustatten, als man dies im ersten Augenblick meinen sollte.

Einen Satz, der in den Ausführungen des Herrn Dr. Dohrn scharf betont worden ist, möchte ich unterschreiben, das ist der, daß man vorwärts kommt mit der Verwaltung der Anstalten lediglich im Wege der Dezentralisation. Es ist dies ein Hauptgrundsatz, der uns in Preußen leitet. Das bedeutet aber andererseits ein Nachgeben gegenüber den Auffassungen und Wünschen der örtlichen Kreise, die keineswegs immer identisch sind mit dem, was sich in allgemeinen Regeln zusammenfassen läßt.

Ich kann mich dem Herrn Vorredner auch darin anschliessen, daß es sehr erwünscht ist, wenn die Großindustrie selbst ihren Nachwuchs heranziehen und bilden wollte. Erfreuliche, anerkennenswerte, vorbildliche und fruchtbare Erscheinungen auf diesem Gebiet haben wir bereits zu verzeichnen. Soweit möchte ich allerdings nicht gehen, anzunehmen, daß die Einrichtungen, welche von der Großindustrie getroffen werden, sich so verallgemeinern lassen, daß die öffentlichen Schulen überflüssig werden. Meine Herren, die Großindustrie ist zunächst nur ein Teil des Gewerbes, und nur einzelne besonders aufblühende Betriebe dieses Teils haben zur Zeit ein lebhaftes Interesse, sich an diese Erziehungsaufgabe heranzumachen. Es wird lange Zeit dauern, bis diese Überzeugungen Gemeingut werden. Aber die Interessen, die die Großindustrie verfolgt bei der Errichtung der Schulen, sind auch wesentlich andere, als die Interessen, wie sie der Staat hat. Dort stehen die Interessen des Unterrichts hier die der Ausbildung im Vordergrunde. Auch denen muß geholfen werden, die mehr oder anderes lernen wollen, als eine einzelne Betriebsleitung für zweckmäßig hält. Was die Fachschule der Zukunft anlangt, die namentlich von Herrn Prof. Bosselt und Herrn Hofrat Bruckmann behandelt worden ist, so sind in den Ausführungen dieser beiden Herren sehr bemerkenswerte Momente enthalten, die durchaus zum Nachdenken und zur Prüfung Anlaß geben. Ich glaube meinerseits, daß wir in der Werkstättenfrage bisher zu einer endgültigen Lösung nicht gekommen sind, und daß wir weiter werden prüfen müssen, inwieweit wir die Leute ausbilden können. Ich halte es mit Herrn Bosselt für nicht günstig, daß die Werkstätten nicht produzieren, aber andererseits, meine Herren, ist es ein Grundsatz, der seit Anfang des vorigen Jahrhunderts, wo wir die Gewerbefreiheit in Deutschland eingeführt haben, als fundamentaler Grundsatz gilt: daß der Staat nicht Konkurrenz machen soll dem freien Gewerbebetriebe. Ich erkenne an, daß wenn man in den Werkstätten produziert, diese Produktion einen verschwindend kleinen Teil der Gesamtproduktion bildet und die Einzelnen ernstlich nicht wohl schädigen kann. Aber wir haben hier mit Vorurteilen und Ansichten zu kämpfen, auf die Rücksicht genommen werden muß, sofern die Schulen in der öffentlichen Meinung nicht Schaden leiden sollen. Doch hoffe ich, daß sich auch hier in zunehmendem Maße die Interessen der Gewerbe und der gewerblichen Erziehung in Einklang bringen lassen werden. Eine Bemerkung zum Schluß noch: Die Schwierigkeit der Schulfrage liegt zum großen Teile darin, daß wir neben der Zukunftspolitik eine Gegenwartspolitik treiben müssen. Darin berühren sich die Schwierigkeiten der Unterrichtsverwaltung mit denen des Werkbundes. Wir müssen und wollen die Erziehung so leiten, daß eine Höher- und Weiterentwickelung unseres Volkes stattfindet. Aber andererseits können wir auch die Wünsche der in der Gegenwart schaffenden Gewerbetreibenden

nicht aus dem Auge lassen, die weniger auf ein Zukunftsideal als auf Befriedigung naheliegender, realer Forderungen gerichtet sind.
Ich glaube, daß für die Staatsverwaltung und für den Werkbund der Satz wird zu gelten haben, den ein großer lebender Dichter einem Roman als Leitmotiv gegeben hat, »Blicke zu den Sternen und schaue auf die Erde.« Die Ideale, die gestern so schön und hinreißend uns vorgeführt wurden, die müssen Sie in Ihren Bestrebungen leiten und uns bei der Weiterentwickelung unserer Schulen. Aber wir sollen nicht vergessen, daß auch die Gegenwart ihre Rechte hat, und daß wir auch für die Gegenwart arbeiten müssen. Hier gilt es den Ausgleich zu finden, dann werden wir am sichersten für das wirken, wofür wir alle arbeiten: eine Höher- und Weiterentwickelung und eine schönere Zukunft des deutschen Volkes. ⟨Stürmischer Beifall.⟩

VORSITZENDER:
Das Wort hat Herr Georg Kerschensteiner.

SCHULRAT DR. KERSCHENSTEINER, MÜNCHEN.
Meine verehrten Herrn! Je mehr wir das Problem der gewerblichen Erziehung studieren, destomehr erkennen wir, daß wir es nicht loslösen können von dem Problem der gesamten Erziehung unseres Volkes. Die meisten Vorschläge leiden darunter, daß sie nur auf lokale Behandlung des kranken gewerblichen Körpers ausgehen und nicht die ganze Konstitution dieses Körpers ins Auge fassen.

Das gewerbliche Erziehungswesen kann nicht reformiert werden, ohne daß wir mit dem ganzen übrigen öffentlichen Erziehungswesen die gleichen Reformen vornehmen. Unser heutiges öffentliches Erziehungswesen läuft isoliert von dem gesamten praktischen Leben einher. Es bedient sich in der Hauptsache des theoretischen Unterrichtes und verschmäht vor allem die Erziehung zur Schaffensfreude, zur Freude an der praktischen Arbeit. Die Erziehung, die heute unsere Volksschulen geben, läuft, drastisch ausgedrückt, darauf hinaus, daß während der sieben bis acht Schuljahre einer den Mund und fünfzig bis sechzig andere die Ohren aufmachen. (Heiterkeit). Das aber gibt keine Erziehung zur Arbeitsfreudigkeit. Wenn der Schüler die Volksschule verläßt, ist die Freude an der praktischen Arbeit in ihm nicht nur nicht entwickelt worden, sie ist nicht selten bereits verkümmert. Daher sage ich: Das Erste, was wir tun müssen, ist die Frage zu lösen: »Wie können wir schon die Volksschule so gestalten, daß die produktiven Kräfte des Kindes nicht von vornherein verkümmern, daß der Freude an praktischer Arbeit, die fast bei jedem Kinde vorhanden ist, nicht von vornherein alle Nahrung versagt wird?« Alle unsere Bestrebungen die gewerbliche Erziehung zu fördern, müssen damit beginnen, die Volksschule so zu gestalten, daß der Schüler lernt, seine eigene Seele zu entdecken, die sich dann am höchsten ihrer bewußt wird, wenn sie schaffen darf. Unsere heutigen Unterrichtsmaßnahmen gehen im wesentlichen darauf hinaus, das Kind mit Weisheit zu stopfen, unser eigenes Wissen in das Kind hineinzutragen, sie versuchen nicht, oder nur schüchtern aus dem Kind herauszuholen, was in ihm steckt. Was dabei herauskommt, möchte ich Ihnen an einem Beispiele zeigen, daß ich in diesem Winter erlebt habe. Vor sechs Jahren begann ich mit der Reform des Zeichenunterrichtes an unseren Volksschulen und stellte auf Grund mannigfacher Versuche gewisse Fundamentalsätze auf, ohne ins Einzelne gehende Vorschriften zu machen. Zwei künstlerisch gebildete Lehrerinnen erfaßten meine Gedanken und weckten alsbald in ihren Kindern produktive Kräfte, die zu höchst bemerkenswerten dekorativen Arbeiten führten. In der Zwischenzeit wurde nun der Lehrplan eingehender ausgearbeitet und für die Durchschnittslehrer auch Ratschläge gegeben, wie man dekorative Übungen allenfalls auch aus dem Naturstudium herauswachsen lassen könne. Als ich nun in diesem Winter wieder in die Schule kam, wo ich vor vier Jahren die mustergültigen Arbeiten gesehen hatte, die nicht vom Naturstudium ausgegangen waren, sondern von der Technik, von den Motiven, die der Pinsel auslöst, da sah ich, daß die Produkte der Kinder nicht mehr jene beneidenswerte Frische hatten, wie vor vier Jahren. Ich untersuchte den Grund und fand, daß die beiden Lehrerinnen, ohne daß die Vorschriften auch für sie gegolten hätten, ihre dekorativen Arbeiten aus den Formen der Natur abstrahieren ließen. Sie lockten nicht mehr wie früher aus dem Kinde heraus, was in ihm war, sondern trugen ihre Stilisierungsversuche in das Kind hinein und siehe da, die schöpferische Kraft der Kinder war versiegt. Es schien, als ob der ganze Born verschlossen, die ganze Phantasie der Kinder gelähmt sei. Acht Tage bemühten sich die beiden Lehrerinnen, in dieser Wüste wieder Blumen zu wecken, es gelang ihnen erst, als sie, von allen Naturformen absehend, die Kinder veranlaßten, mit dem Pinsel ein kleines Puppenzimmer zu dekorieren unter Benützung der Motive, die die Pinselspitze und der Pinselabdruck zu geben fähig sind. Wie mit einem Zauberschlage brach die alte verschüttete Quelle wieder durch und was das Ergebnis war, können Sie drüben in der Zeichenausstellung der Kinder sehen; dort werden Sie auch leicht den großen Unterschied bemerken zwischen den Arbeiten derjenigen Kinder, die durch ewiges Anweisen, ewiges Gängeln, ewiges Vorschreiben geführt worden sind und derjenigen, die zunächst auf ihre produktiven Kräfte allein angewiesen waren. Ich sage also: Was wir vor allem tun müssen, um der gewerblichen Erziehung den Boden zu ebnen, das ist, die Volksschule so zu organisieren, daß die produktiven Kräfte, die allein die Arbeitsfreude wecken, vor allem zur Entwicklung kommen.

Und nun der zweite Gesichtspunkt: Indem die gewerbliche Erziehung in allen Schulen vor allem die produktiven Kräfte des Schülers ins Auge faßt, soll sie sich nicht darauf beschränken, nun lediglich nur die technische Seite zu kultivieren. Aber gerade daran leiden unsere gewerblichen Erziehungsanstalten. Sie kennen nicht die Fürsorge um den Menschen überhaupt, und doch kann keine Schule einen tüchtigen Kunstgewerbler bilden, wenn sie nicht zugleich auch den Menschen bildet, (Beifall) wenn sie nicht das gesamte Innenleben des Menschen mitentwickelt (erneuter Beifall). Was ist aber bisher geschehen, um das zu erreichen? Sehen Sie sich unsere Gewerbe- und Kunstgewerbeschulen an! Immer werden Sie finden, daß sie lediglich die technische oder künstlerische Ausbildung im Auge haben, den eigentlichen Menschen aber vollständig unberücksichtigt lassen. (Beifall). Ich habe wiederholt Vorschläge gemacht, das Erziehungsproblem an unseren Gewerbeschulen tiefer zu fassen, den Schüler durch die praktische Arbeit hindurch in den Kreis unserer übrigen Kultur einzuführen, seinen Horizont auf dem Boden seiner Arbeit nach der wissenschaftlichen wie nach der staatsbürgerlichen Seite hin zu erweitern und nicht den Menschen im Arbeiter verkrüppeln zu lassen. Das ist der zweite große Gesichtspunkt, den ich geben wollte.

Und schließlich der dritte: Wir werden nicht vorwärts kommen mit Erziehungsvorschlägen, die nicht zugleich damit rechnen, daß das treibende Element aller Menschen die Lebenshoffnungen sind. Wenn wir die Arbeiter an die Interessen unseres Gewerbes und unserer Industrie fesseln wollen, so werden wir auch ihre Lebenserwartungen ins Auge fassen müssen. Wir können nicht tüchtige Menschen in Gewerbe und Industrie festhalten, wenn wir nichts geben, als ein Menschenalter hindurch mechanische Arbeit vom frühen Morgen, bis zum späten Abend. Eine solche Aussicht wird einen geistig intelligenten Nachwuchs vergeblich anzulocken versuchen. Wir müssen auch der Freude am Leben und zwar am gesunden Leben gewisse Konzessionen machen. (Lebhafter Beifall). Es wird und muß möglich sein, die Arbeitszeiten und die allgemeine Bildung des Arbeiters so zu gestalten, daß, wie hart und gleichförmig auch die Tagesarbeit sei, die darauf folgende Musezeit den Menschen im Arbeiter wieder auftauchen läßt. Das ist der dritte große Gesichtspunkt.

Und nun lassen Sie mich noch ein letztes Wort zu unserer Münchener Organisation sagen.
Als ich seinerzeit die Werkstätte mit der Fortbildungsschule verknüpfte, ging ich nicht bloß von dem Gedanken aus, daß sie eine notwendige Ergänzung für mangelhafte oder einseitige Meister- und Fabriklehrer bilden sollte. Sie sollte vor allem auch jedem Lehrling Gelegenheit geben zu erfahren, was es um eine solide, gründliche, methodische Arbeit ist. Sie sollte der Platz sein, wo die Arbeitsfreude sich entwickeln kann, und diese Arbeitsfreunde sollte mir dann Vorspanndienste leisten, um den Lehrling hinüberzuführen in die anderen Kulturgebiete, um ihn einzuführen in die Interessengemeinschaft des großen Verbandes, in dem wir alle leben. An seiner Arbeit lernt er zunächst seine berechtigten egoistischen Interessen kennen. Ich zeige ihm, wie die Interessen des Nachbargewerbes mit den seinigen kämpfen oder zusammen bestehen und zeige ihm, daß die Menschen im Staatsverband nur leben können, indem sie ihre gegenseitigen Interessen zum Ausgleich bringen. Ich lehre ihn begreifen, daß wir durch die einseitige Betonung unserer egoistischen Interessen nicht nur die anderen schädigen, sondern schließlich auch uns selbst, und daß wir ohne gegenseitiges Verständnis nicht vorwärts schreiten werden. Ich lehre ihn, den Interessenzusammenhang zwischen Arbeitnehmern und Arbeitgebern. Das ist aber auch ein großes Erziehungsproblem, wie wir unseren Lehrlingen zum Verständnis bringen, daß die Wahrung der Interessen der Arbeitgeber in gewissen Fällen zugleich die beste Wahrung der Interessen des Arbeitnehmers ist. (Lebhafter Beifall). Aber

auf alle diese Betrachtungen geht unser Zögling nur deshalb ein, weil es uns gelungen ist, durch die Arbeitsfreude .seine Seele aufzulockern. Wenn wir auf diese Weise die gewerbliche Erziehung angreifen, und wenn wir die oben erwähnten drei Grundsätze im Auge behalten, den *ersten Grundsatz*, daß wir nicht früh genug den Menschen zur Freude an der schöpferischen Arbeit erziehen können, den *zweiten Grundsatz*, daß wir durch die praktische Arbeit hindurch den Weg zur allgemeinen Menschenbildung finden müssen und den *dritten Grundsatz*, daß alle Erziehungsmaßnahmen, die die Lebenshoffnungen und Lebensinteressen des Arbeiters nicht würdigen, von fraglichem Werte sind, dann werden wir die drei großen Maßstäbe haben, um all die manigfaltigen Vorschläge über gewerbliche Erziehung zu prüfen und den rechten Weg zu finden. (Stürmischer Beifall.)

VORSITZENDER:
Das Wort hat Herr Muthesius.

GEHEIMER REGIERUNGSRAT DR. ING. HERMANN MUTHESIUS, BERLIN:
Meine Herren! Wenn eine Korporation, sei sie welcher Art sie wolle, die Beratung der gewerblichen Erziehungsfrage auf ihr Programm setzt, so ist für denjenigen, der sich mit diesen Dingen eingehend beschäftigt, eine gewisse Befürchtung nicht zu unterdrücken, was wohl aus diesen Beratungen herauskommen werde. Es wird meistens vergessen, daß wir uns hier vor einem ganz jungen Gebiet befinden, vor einem Probleme, das uns erst die allerletzte

Vergangenheit gestellt hat, und das dabei von weitausgreifender Bedeutung ist. Es wird vergessen, daß es naturgemäß ganz unmöglich ist, von einer so jungen Entwicklung etwas zu verlangen, was auch nur einigermaßen nach einer Lösung aussieht. Es kommt noch eins hinzu. Immer, wenn diese Fragen diskutiert werden, kann man beobachten, daß jeder Redner etwas anderes im Sinn hat. Es ereignet sich das rein menschliche, daß jeder von dem Bezirk aus, den er persönlich vertritt, die allgemeinen Fragen zu beurteilen unternimmt, und die Zufälligkeit verschiedener Leitsätze, die wir in verschiedenen Eingaben der letzten Zeit beobachten konnten, resultiert in erster Linie in diesen ganz unsachlichen und unzutreffenden Verallgemeinerungen.

Meine Herren! Machen wir uns klar, was denn gewerbliche Erziehung sei, was alles dazu gehört: es gehört zunächst der Handfertigkeits-Unterricht in der Volksschule dazu, es gehört die Fortbildungsschule dazu, ein neues gewaltiges Gebiet, auf dem erst die allerersten Grundlagen durch Erfahrung gewonnen werden müssen, es gehört dazu die gewerbliche Fachschule für die verschiedenen Einzelgewerbe, von der Herr Scharvogel ganz richtig auseinandergesetzt hat, daß sie für jedes Gewerbe total anders sein muß. Es gehört ferner dazu die Kunstgewerbeschule, eine Schule, in deren Namen es schon liegt, daß in ihr künstlerische Interessen eine Rolle spielen, also ganz neue Interessen, die in den bisherigen Schulgattungen nicht als unerläßlicher Bestandteil enthalten waren. Bei diesem Umfang des ganzen Problems kann ich persönlich nur davor warnen, hier etwa bündige Beschlüsse fassen zu wollen oder auch nur den Eindruck aufkommen lassen

zu wollen, daß wir heute zu Resultaten gelangten. Ich bin der Überzeugung, daß, wenn nach 20 oder 30 Jahren eine ähnliche Versammlung, wie sie heute hier sitzt, über diese Fragen redet, dabei immer noch die gleichen Probleme aufgerollt werden, und derselbe Zwiespalt der Meinungen auftauchen wird. Die Hoffnung, die ich habe, beschränkt sich darauf, daß dann die Klärung dieses schwierigen Problems wenigstens einigermaßen weiter entwickelt sein wird. Angesichts der enormen Weite des Gebietes, das wir heute auf die Tagesordnung gesetzt haben, möchte ich auch meinerseits nicht den Versuch machen, etwa die Grundlagen des ganzen Problems aufzurollen, sondern ich möchte mich darauf beschränken, einige Gesichtspunkte zu erwähnen, bei denen ich beobachtet habe, daß darin die meisten Irrtümer und die meisten falschen Voraussetzungen unterlaufen.
Da ist zunächst die Behauptung, daß die Schulen ihre Aufgabe nicht erfüllt hätten, das niedergehende Handwerk wieder zu heben. Meine Herren, das können die Schulen nicht. (Sehr richtig!) Die Ursachen dafür, daß das Handwerk zurückgegangen ist, sind ganz allgemeiner Natur, sie sind auf dem Boden der sozialen und wirtschaftlichen Entwicklung zu suchen und sind zum Teil von Herrn Bosselt sehr scharf bezeichnet worden. Sie liegen zum Teil in der materiellen und geistigen Aufschließung der ganzen Welt durch unsere Verkehrs- und Austauschmittel, kurz, sie hängen zusammen mit den großen prinzipiellen Fragen unsrer kulturellen Entwicklung. Wie kann man verlangen, ja wie kann man überhaupt anf die Idee kommen, daß jetzt ein so kleiner Umstand, wie es im Leben die Schule ist, diese Ver-

hältnisse von Grund auf ändern könnte. Das ist eine Supposition, die bei Lichte betrachtet, geradezu grotesk ist. (Sehr gut!)
Eine andere Quelle von falschen Schlüssen liegt in der ständigen Verquickung von Fragen der allgemeinen und speziellen Erziehung. Es wird in der Regel von Interessenverbänden, die Resolutionen fassen, lediglich ihre spezielle Fachausbildung als Ziel genommen und dann treten jene Verallgemeinerungen hinzu, die ich schon erwähnte. Ich wünschte, daß immer, wenn solche Beratungen vor sich gehen, die auf ein spezielles Gebiet ausgleiten, Herr Kerschensteiner die Gesichtspunkte wiederholte, die wir eben aus seinem Munde gehört haben. Er führt uns damit, so paradox das klingen mag, auf den Boden der Wirklichkeit zurück und aus jener kleinen Ecke des Denkens heraus, aus der die Spezialisierungen erfolgen. Unbedingt ist dem Referat des Herrn Dr. Dohrn beizustimmen, daß die Erziehung des gewerblichen Nachwuchses in erster Linie Sache des Gewerbes sei, soweit nämlich die spezielle Erziehung in Frage kommt, aber daß das auf die allgemeine Erziehung nicht zutrifft, das möchte ich hier besonders betonen. Daß technische Schulen überhaupt entstanden sind, hängt zusammen mit der enormen Entwicklung, die das gesamte technische und wirtschaftliche Leben im letzten Jahrhundert genommen hat. Sie sind entstanden, weil die spezielle Erziehung, die traditionell bei den einzelnen Berufen lag, nicht mehr das bieten konnte, was das moderne Leben verlangte. Der Wettkampf im modernen Leben geht immermehr aus dem Materiellen in das Geistige über, er wird mehr und mehr ein Wettkampf der geistigen Fähigkeiten. Das Geistige

gehört in die Allgemeinerziehung und die Erziehung kann am besten eine wohlorganisierte Schule geben. Man kann die Notwendigkeit des Eintretens der Schule beklagen und man kann frühere Zustände für glücklicher halten. Die mittelalterlichen Zustände mögen wundervoll gewesen sein. Wir unsererseits kommen nicht darüber hinaus, daß das heutige Leben in seiner Verzweigung und Verquickung verlangt, daß eine Instanz vorhanden sei, welche allgemeinerzieherisch die intellekte Ausbildung des Menschen auf diejenige Höhe hebt, die im heutigen Wettkampf unbedingt vorhanden sein muß.
Ich glaube also, die Schulen und zwar nicht so sehr in ihrer Eigenschaft als Stätten der Spezialausbildung als in ihrer Eigenschaft als Stätten der allgemeinen, sei es der allgemein-technischen oder der allgemein-künstlerischen Ausbildung, sind eine Notwendigkeit und sich ihrer anzunehmen ist eine Pflicht der Allgemeinheit, d. h. des Staates.
Damit komme ich auf einen weiteren Punkt, der so häufig zu Mißverständnissen Veranlassung gibt. Es ist die sogenannte »künstlerische« Erziehung. Herr Riemerschmid hat gestern schon bemerkt, daß mit den Worten »Künstler« und »künstlerisch« ein kolossaler Unfug getrieben wird. Das Wort »Kunst« ist entwertet wie eine stark im Umlauf befindliche Münze und man scheut sich geradezu, dieses Wort noch zu gebrauchen. Ganz besonders aber treten die Unklarheiten, die daraus entstehen, auf dem Gebiet des Unterrichts in Wirksamkeit, insbesondere des kunstgewerblichen Unterrichts. Künstler können nicht erzogen werden, sagt man, Künstler müssen geboren werden. Das ist richtig. Aber ebenso richtig ist, daß das in dem

einzelnen Menschen schlummernde Künstlervermögen zur Entwicklung und Reife gebracht werden kann. Ob solche Erziehungsversuche nun wegweisende Kräfte, Künstler von grundlegender Bedeutung hervorbringen können, das ist eine andere Frage. Möglich, daß sie verneint werden muß. Es liegt aber ein großer allgemeiner Bedarf vor an solchen Kräften, die eine künstlerische Schulung haben um neben und unter diesen künstlerischen Wegweisern zu arbeiten. Und diese kann die Schule heranbilden. Dieser Stab künstlerischer Hilfskräfte ist nötig neben den Genies, die die künstlerische Richtung der Zeit bestimmen und ihrer Epoche den Stempel aufdrücken.

Vielleicht würde man überhaupt am besten tun, das Wort »Kunst« in der gewerblichen Erziehung ganz zu vermeiden und es durch »Geschmack« zu ersetzen. Es wird mir sofort jedermann zugeben, daß eine Schule sehr wohl in der Lage ist, geschmackbildend zu wirken, auf der andern Seite steht fest, daß in dem gegenwärtigen Zustand Deutschlands die Geschmackbildung zur Hebung unseres Gewerbes nach einer bestimmten Richtung der Qualität, nämlich der Geschmacksqualität, hin ganz unerläßlich ist und mit das wichtigste Problem ist, das vorliegt. Wenn also vielfach darüber Bemerkungen gemacht werden, daß doch die ganze Kunsterziehung auf der Schule in der Luft schwebe, da doch Künstler geboren würden und nicht erzogen werden könnten, so wollen wir immer an die Stelle des Wortes »Kunst« das Wort »Geschmack« setzen und wir werden uns einigen, daß die Schulen nach dieser Hinsicht in der Lage sind, eine wirklich dringende Aufgabe zu erfüllen.

Aus dem Referat des Herrn Bruckmann möchte ich auf

einen Satz zurückkommen, der hieß: wir wollen uns in der Erziehung bei dem gegenwärtigen Zustande nicht beruhigen. Hier ist das berührt, worauf es ankommt, es kommt nicht darauf an, daß den gewerblichen Berufen, so gut oder so schlecht wie sie heute gerade bestehen, von der Schule aus sofort verwendbare Kräfte geliefert werden. Ich möchte hier dem Referate des Herrn Dohrn zustimmen, und sagen, das ist Sache der Gewerbe selbst, dazu brauchten wir eigentlich gar nicht die Schulen. Wenn es Schulen gibt, im besonderen wenn öffentliche Mittel zur Erziehung verwandt werden, so können sie nur im Sinne einer »Erziehung«, d. h. einer Hebung verwandt werden: erziehen heißt »heben« und muß es auch in Zukunft heißen. Und gerade die neuerdings so viel angegriffenen Kunstgewerbeschulen sind vielleicht eine Art von Schulen, wo wir dies Bestreben der Hebung, des Emporstrebens besonders markant ausgeprägt finden. Wenn Mängel in diesen Schulen vorhanden sind, so wird jeder, der das Gebiet kennt, diese ohne weiteres zugeben. Es wäre etwas auf der Welt noch nie Dagewesenes, daß eine Einrichtung, die erst seit ein paar Jahrzehnten überhaupt besteht, bereits in sich abgeschlossen und vollendet wäre. Tauchen doch selbst in unsern allgemeinen Erziehungsfragen noch fortwährend neue Probleme auf, sind doch selbst unsere altbewährten Schulen, die seit Jahrhunderten bestehen, unsre Gymnasien und Volksschulen noch fortwährend Wandlungen unterworfen. Wievielmehr muß das bei ganz neuen Schulen der Fall sein.
Jung und schwankend, wie das Gebiet der gewerblichen Erziehung heute noch ist, bleibt zur Erreichung guter Resultate vorläufig kaum etwas anderes übrig, als sein

Vertrauen weniger auf Programme (für diese fehlen noch die Erfahrungen) als auf Persönlichkeiten zu setzen. Gerade in einem so jungen Entwicklungsgebiete kann es nur Sache von Persönlichkeiten sein, den richtigen Weg vorwärts zu beschreiten. Ein Beispiel haben wir in München, wo Herr Schulrat Kerschensteiner — ich kann wohl sagen, lediglich durch das Einsetzen seiner Persönlichkeit — bahnbrechend gewirkt hat, wo er Ergebnisse gezeitigt hat, die einzig dastehen und der Entwicklung anderwärts weit voraus geeilt sind. Die Resultate im Unterricht hängen, mehr noch als die Resultate auf andern Betätigungsgebieten, ganz und gar von der Persönlichkeit des Belehrenden ab. Und ist dies schon im allgemeinen Unterricht der Fall, so trifft es doppelt zu auf den Kunstunterricht, der nur die Sache einer persönlichen Einwirkung sein kann. Es hat daher keinen Sinn, für eine Kunst- oder eine Kunstgewerbeschule Reglements aufzustellen, programmatische Beschlüsse zu fassen und Lehrpläne zu entwickeln, solange nicht die künstlerischen Lehrer vorhanden sind. Das wundervollste Lehrprogramm zerschellt an der künstlerischen Unfähigkeit des Unterrichtenden. Also, meine Herren, das einzige, was wir in dem heutigen Übergangsstadium tun können, ist, daß wir dafür sorgen, daß an jede Stelle, von der gewerbliche Erziehung ausstrahlen soll, eine Persönlichkeit gesetzt wird. Nur dann ist zu hoffen, daß wir vorwärts schreiten, daß unsere Entwicklung gesund bleibt und daß sich mit der Zeit gewisse befestigte Vorstellungen über das Herausbilden werden, was die gewerbliche Erziehung sein kann und in der Folge sein wird. (Stürmischer Beifall.)

VORSITZENDER:
Das Wort hat Herr Dr. Cornelius.

PROF. DR. CORNELIUS-MÜNCHEN:
Sehr verehrte Herren! Ich werde mich sehr kurz fassen und werde eben deswegen auf einige kleine Differenzpunkte, die ich gegenüber dem geehrten Herrn Vorredner zu erwähnen hätte, nicht eingehen, zumal sie mehr äußerlicher Natur sind.
Ich bitte um die Erlaubnis, Sie von den allgemeinen Betrachtungen, die uns in der letzten Rede hier vorgeführt worden sind, auf einige ganz spezielle Punkte unseres Programms zurückzulenken. Es ist hier in den Referaten überall von einer Zweiteilung die Rede gewesen. Unser Nachwuchs besteht einerseits aus den Erfindern und anderseits aus den ausführenden Kräften, und wie es wohl der Natur der Sache gemäß ist, ist hier im wesentlichen nur von der Ausbildung der letzteren die Rede gewesen, und auch ich will nur von dieser sprechen. Es ist aber dabei ein Punkt angedeutet worden, auf den, wie mir scheint, noch etwas ausführlicher zurückgekommen werden muß. Man hat gesagt, die ausführenden Kräfte, Arbeiter, Handwerker, sollen im wesentlichen auf die Handfertigkeit hin geschult werden. Dabei ist aber doch mehrfach erwähnt worden, daß sie auch künstlerisch mitempfinden lernen sollen, und ich meine, das ist gerade der wichtigste Punkt für unseren Nachwuchs, denn wenn wir Handwerker und Arbeiter haben, bei denen dieses künstlerische Mitempfinden fehlt, so werden sie die Ausführung der künstlerischen Entwürfe, die ihnen vorgelegt werden, doch wohl nicht in dem Sinne zu leisten ver-

mögen, der uns im Werkbund als Ideal vorschwebt. Wie aber ist der Arbeiter zu einem solchen künstlerischen Mitempfinden zu erziehen? Das ist die Kardinalfrage. Ich glaube nicht, daß es genügt, wenn wir ihn dazu anleiten, daß er sich in Andacht gegenüber einem schönen Kunstwerk oder Produkt der Natur in eine Art produktiver Stimmung versetzt. Ich glaube, wir können exakter und bescheidener vorgehen und uns dabei unserem Ziele besser nähern. Es ist vorhin einmal das Wort gefallen, das mir aus der Seele gesprochen ist, und das ich selbst schon gar oft ausgesprochen habe: »Künstlerische Gestaltung ist Gestaltung für das Auge«. Für die Wahrnehmung durch das Auge aber gelten ganz bestimmte Gesetze, und eben diese Gesetze kommen überall in der künstlerischen Durchbildung des Kunstgewerbes zutage, und wo ihnen entgegengehandelt wird, da ist diese künstlerische Durchbildung mangelhaft. Das sind Gesetze, die in den alten künstlerischen Zeiten in der Tradition der Meisterateliers dem Schüler als etwas ganz Selbstverständliches eingeimpft wurden, so eingeimpft wurden, daß er von da ab unbewußt immer im Rahmen dieser Gesetze arbeitete. Wenn es uns gelingt, diese künstlerischen Gesetze d. h. diese Gesetze der Gestaltung für das Auge unsern Arbeitern wieder in Fleisch und Blut übergehen zu lassen, dann werden wir sie eben zu jenem künstlerischen Mitempfinden erzogen haben.

Meine Herren, das sieht im ersten Augenblick vielleicht sehr utopisch aus, aber es ist es nicht. Ich mache sie auf ein Beispiel aufmerksam, das mir vor kurzem in Venedig entgegengetreten ist, wo ich in der Werkstatt eines gewöhnlichen Steinmetzen gesehen habe, wie dieser seine Gehilfen zu solchem »künstlerischen Mitempfinden« erzieht. Diese Leute haben bei ihm gelernt, bloß auf Grund einer Kohlenzeichnung in Relief zu arbeiten, direkt aus dem Stein ohne Vormodellierung von Seiten ihres Werkmeisters: Es wird ihnen nur eine Zeichnung gegeben, und danach wissen sie genau, bis zu welcher Tiefe sie das Ornament überall in den Stein zu hauen haben. damit es die Wirkung zeigt, die in der Zeichnung gegeben ist. Das Beispiel zeigt, daß man die Arbeiter dazu erziehen kann, daß sie nicht immer bloß allgemein »künstlerisch mitempfinden«, sondern daß sie genau wissen, wie sie dieses künstlerische Empfinden in die Praxis umzusetzen haben.

Wir haben, wenn wir eine solche künstlerische Erziehung der Arbeiter uns zum Ziel setzen, für die Kunstgewerbeschule zweierlei Aufgaben. Einmal die Aufgabe, künstlerische Erfinder zu erziehen — soweit diese Aufgabe von der Schule gelöst werden kann; andererseits aber Arbeiter zu erziehen, welche jene Gesetze der künstlerischen Logik kennen und nach diesen Gesetzen zu arbeiten lernen, sodaß sie einen vorgelegten künstlerischen Entwurf im Sinne desjenigen auszuführen imstande sind, der ihn ihnen vorgelegt hat.

Wir haben hier in der Münchner Kunstgewerbeschule einen Versuch in dieser Richtung gemacht und ich glaube, er ist nicht ganz ohne Erfolg geblieben. Wir haben an Stelle der herkömmlichen historischen Stillehre einen Unterricht in eben jener künstlerischen Logik gesetzt; zunächst in Form von Vorträgen und Demonstrationen. (Die direkte Einwirkung während der Arbeit wäre freilich vorzuziehen.) Ich meine, daß der Erfolg dieses Versuches ebenso wie jene Beispiele, von denen ich eines aus der Technik der italienischen Arbeiter anführte, uns zeigen, daß das genannte Ziel erreichbar ist, und ich meine, daß es erwünscht ist, solche Versuche weiter fortzusetzen, und daß sie nicht bloß an den Kunstgewerbeschulen, sondern ebenso auch in den Gewerbeschulen und Lehrwerkstätten in demselben Sinne eingeführt und fortgesetzt werden sollten. (Lebhafter Beifall.)

BERNHARD STADLER, PADERBORN:*

Meine Herren! Ich möchte Ihnen darstellen, wie ich mir die Erziehung des Nachwuchses in meinem Fache, in der Möbeltischlerei, denke.

Die heutige Geschmacksentwicklung macht die Hausraterzeugung gerade in der Form der Werkstätten besonders erfolgreich. Die Werkstätten haben mit der neuzeitlichen Fabrik die kaufmännische Leitung und die Ausnützung der Maschinen gemeinsam, mit dem alten Handwerk die gediegene Arbeit und die Betätigung im ganzen Umfange des Gewerbes. Von der älteren Art Einrichtungs-Unternehmungen unterscheiden sie sich durch ihr Verhältnis zum entwerfenden Künstler, der hier neben Kaufmann und Handwerker als selbständiger Mitarbeiter auftritt, und durch ihre Abneigung gegen rein historische Stilformen.

Diese einfache Aufzählung der Merkmale zeigt schon, daß bei den Werkstätten die denkbar günstigsten Vorbedingungen für eine wirklich gute Meisterlehre gegeben

* Diese Rede wurde der vorgerückten Zeit halber auf der Tagung selbst nicht gehalten. Sie wurde uns für den Abdruck freundlicherweise zur Verfügung gestellt.

sind, daß sich gerade ihnen ohne Betriebsbelästigungen und ohne Geldopfer Lehr- oder Schulwerkstätten angliedern lassen, die vor staatlichen Lehrwerkstätten den unschätzbaren Vorzug haben, daß sie fürs Leben erziehen. Denn sie werden nicht nur handwerkliche Tüchtigkeit lehren, sondern den Schülern auch die vorteilhafteste Art zu arbeiten beibringen und stets darauf dringen, daß die Arbeit bei aller Sorgfalt und Sauberkeit doch flott von der Hand geht.

Solche Erwägungen haben mich veranlaßt meinen Werkstätten eine Lehrlingsabteilung anzufügen. Am 1. April habe ich mit sechs Knaben begonnen. Sie stehen unter ständiger Aufsicht und Unterweisung eines eigens für sie angestellten Lehrmeisters, werden von vornherein nur an der Hobelbank beschäftigt und sollen vom Leichten zum Schweren aufsteigend stets solche Arbeiten machen, welche ihren jeweiligen Kenntnissen und Fähigkeiten entsprechen und sie wieder weiter fördern. Lehrziel ist die Erlernung der feineren Tischlerei in ihrem ganzen Umfange.

Um das gründlich zu erreichen habe ich vier Jahre Lehrzeit ausbedungen. Damit diese nach ihrer ganzen Anlage und nach der Zeitdauer von der gewöhnlichen Kleinmeisterlehre so grundverschiedene Lehre voll zur Wirkung komme, ist es notwendig, ihr den Fortbildungsunterricht genau anzupassen. Die übliche städtische Fortbildungsschule geht selbst hier in der Kunststadt München von der Voraussetzung einer ungenügenden Meisterlehre aus und gestaltet danach ihren Lehrplan. Bei einer guten Lehrwerkstatt ist es aber offenbar sachgemäßer, den ganzen Handwerksunterricht (Werkstoff-

kunde, Werkzeugkunde und die Handwerkskunde im engeren Sinne) in die Werkstatt zu verlegen. Ebenso ist ein möglichst enger Zusammenhang zwischen Werkstattarbeit einerseits, Zeichnen und Rechnen andererseits für den Unterrichtserfolg wesentlich.
In meinem Falle traten noch zwei Übelstände hinzu: der städtische Fortbildungsschulunterricht wird den Lehrlingen des gesamten Holzbearbeitungsgewerbes gemeinsam erteilt. Wenn auch die Tischler in erster Linie berücksichtigt werden, nehmen doch die anderen Zweige ein volles Halbjahr in Anspruch. Andererseits sind die Unterrichtsstunden größtenteils auf den späten Abend und den Sonntag verlegt.
Alle diese Gründe waren in ihrer Gesamtheit so schwerwiegend, daß ich mich entschlossen habe, um die Genehmigung einer eigenen Fortbildungsschule einzukommen. Ergötzlich war es, das Verhalten des Handwerks zu beobachten, als ich mit meinem Plane an die Öffentlichkeit trat. Das Handwerk, das immer darüber gejammert hat, die Industrie schädige es besonders dadurch, daß es ihm die mit so großen Opfern herangebildeten Kräfte wegschnappe, ging als Innung und Handwerkskammer mächtig gegen mich an, während die Meister mir wieder den Untergang prophezeihten, weil die Lehrlinge soviel verderben würden. Tatsächlich bin ich ebensowenig in der Lage wie ein Handwerksmeister Lehrlinge aus Nächstenliebe heranzubilden. Noch weniger rechne ich damit, daß der Lehrling aus Dankbarkeit mir später eine billigere Arbeit leiste als ein anderer. Ich muß mit Beendigung der Lehre auf meine Kosten kommen. Das wird auch der Fall sein: Lehre und Unterricht sind

völlig frei, dafür aber bekommt der Lehrling kein Kostgeld. Ich rechne damit, daß die Schüler nach zwei Jahren so weit vorgeschritten sind als ein junger Geselle, der eben die nicht mal besonders schlechte Lehre bei einem Kleinmeister verlassen hat. Zwei Jahre also leistet er mir nicht unerheblichen Nutzen. Die Kosten des Fortbildungsunterrichts fallen bei einem großen Betriebe nicht sehr ins Gewicht. Für Zeichnen und kaufmännischen Unterricht hat man geeignete Kräfte selbst. Der Zeichenunterricht macht sich bei den oberen Jahrgängen wieder dadurch bezahlt, daß die Schüler durch Anfertigung von Werkzeichnungen und Holzlisten den Zeichner entlasten. Die übrigen Stunden übernimmt ein Volksschullehrer. Ich zahle für die Jahresstunde 100 M. Da ich neben dem Zeichnen wöchentlich drei Stunden anderen Unterricht geben will, würden vier Jahrgänge nebeneinander nur 1200 M bare Auslagen verursachen, ja mit Berücksichtigung des kaufmännischen Unterrichts gewiß nicht mehr als 1000 M.

Ich möchte wünschen, daß alle Werkstätten in ähnlichem Umfange wie die Kleinmeister Lehrlinge ausbildeten. Nach einer Reihe von Jahren würden dann mehr tüchtige Tischler diese Lehre verlassen, als das Kunstgewerbe selbst beschäftigen kann: ein durchaus wünschenswerter Zustand. So blieben die geeignetsten im Fache, alle übrigen aber fänden leicht Unterkunft in Spezialfabriken und selbst bei Handwerksmeistern. Denn an wirklich tüchtigen Gesellen wird in absehbarer Zeit immer Mangel sein. Die Werkstätten aber könnten ihre jungen Gesellen untereinander austauschen und ihnen so die Gefahren der Wanderjahre wesentlich verringern. Wenn es aber schließlich selbst dahin käme, daß ein Flickmeister keine Lehrlinge mehr bekommen könnte, so wäre das auch nur zu begrüßen.

Nach § 896 der Heerordnung kann jemand die Berechtigung zum einjährig freiwilligen Dienen erlangen, wenn er eine handwerklich hervorragende Leistung und daneben diejenigen Kenntnisse aufweist, die er beim Verlassen der Volksschule eigentlich haben müßte. Ich hoffe auf Grund dieser Bestimmung werden recht viele meiner Lehrlinge die Berechtigung erwerben. Daß die meisten das Geld zum Einjährigen nicht haben, macht wenig aus; der Berechtigungsschein allein bildet die nachhaltigste Empfehlung bei jedem Arbeitgeber. Und — diese neue Aussicht aufs Einjährige wird die besseren Kreise wieder eher veranlassen ihre Kinder dem Handwerke zuzuführen.

Mit den Ihnen hier geschilderten Tischlerschulen scheint mir für mein Gewerbe die Frage der Erziehung des kunstgewerblichen Nachwuchses glatt gelöst zu sein — ganz ohne Staatshülfe. Der Staat möge besonders begabten ärmeren Knaben eine Beihülfe gewähren, die ihnen ermöglicht solche Tischlerschulen zu besuchen; und im übrigen jene Werkstätten, die sich um die Heranbildung der Arbeiter bemühen, durch Aufträge unterstützen.

So würde den staatlichen Kunstgewerbeschulen allein die Aufgabe zufallen, solche Tischler weiter zu bilden, die befähigt sind, als erfindende Künstler tätig zu sein. Deren aber sind nicht viele.

VORSITZENDER:

Das Wort hat Herr Halmhuber-Köln.

HALMHUBER, DIREKTOR DER KUNSTGE= WERBESCHULE IN KÖLN:

Meine Herren! Gestatten Sie, daß ich als Leiter einer Kunstgewerbeschule nun auch das Wort ergreife, nach= dem so viel von Idealen der Zukunft der Kunstgewerbe= schulen gesprochen worden ist, daß ich das Wort ergreife als ein Mann der Wirklichkeit. Wir wollen vor allen Dingen kurz die Aufgabe beleuchten, die dem Direktor einer Kunstgewerbeschule heute zufällt. Von Herrn Ge= heimrat Dr. Muthesius haben wir soeben das vortreff= treffliche Wort gehört, daß an die Stelle des Leiters einer solchen Schule eine Persönlichkeit gesetzt werden soll, das heißt ein Mann, der ethische und künstlerische Werte besitzt. Das ist bislang auch überall bei der Be= setzung der Stellen gehandhabt worden, und doch stimmt hier manches noch nicht so, wie es wünschenswert wäre. Diesen Punkt möchte ich heute zur Sprache bringen. Die Direktoren, die heute an den Schulen regieren, sind zum mindesten zu siebenachtel Verwaltungsbeamte und einachtel dürfen sie vielleicht, wenn es die Industrie er= laubt, der Kunst widmen, ihre Seele hineinlegen, in das was sie machen. Das gehört unbedingt in das Kapitel von der Erziehung zum gewerblichen Nachwuchs.

In zweiter Linie wird also der Direktor, wenn er ge= hemmt ist in seiner künstlerischen Tätigkeit, den Ein= fluß verlieren auf sein Lehrpersonal. Der alte Zunft= gedanke, daß der Meister den Gesellen lehrt und der Geselle den Lehrling, ist eigentlich in der Schule auch heute noch vorhanden, wenn Sie an Stelle des Meisters den Direktor setzen. Die Werkstätte, die ganze Leitung des Zeichenunterrichts und die Gefühls= und Geschmacks=

richtung wird lediglich von dem Direktor abhängen müssen. Die Lehrer würden also vollständig verkommen, wenn der Direktor ein Verwaltungsbeamter sein muß. Es ist hier nicht der Ort, diese Dinge bei der Regierung anhängig zu machen. Ich möchte aber dem Werkbund anheimgeben, gelegentlich, wenn Berufungen stattfinden, diesen Punkt im Auge zu behalten. Von ihm aus läßt sich mit dem Vorhandenen, das doch verbessert werden soll, sehr viel erreichen. (Beifall).

VORSITZENDER:
Das Wort hat Herr Meyer-Hamburg.

PROF. R. MEYER, DIREKTOR AN DER KUNSTGEWERBESCHULE IN HAMBURG:
Meine Herren! Gestatten Sie mir auf die eigenartige Erscheinung hinzuweisen, daß über die Klagen, die über Kunstgewerbeschulen laut werden, eigentlich nur verhandelt wird auf Verbandstagen und in Vereinssitzungen, bei denen zumeist die, die es angeht, nicht eingeladen, sondern zum Teil sogar ausgeschlossen werden. Ich möchte ferner die Tatsache mitteilen, daß während meiner zehnjährigen amtlichen Tätigkeit als Direktor einer Kunstgewerbeschule weder Künstler, Industrieelle oder Kunstgewerbetreibende aus sich heraus in die Anstalt gekommen sind, um sich den Unterrichtsbetrieb einer modernen Kunstgewerbeschule genau anzusehen. Diese Erfahrung wird durch die hier anwesenden Direktoren aus Köln, Karlsruhe und Magdeburg bestätigt. Jene Erscheinung macht es erklärlich, daß in den Verbandstagen Forderungen aufgestellt werden, die längst erfüllt sind, und ich

möchte die dringende Bitte hier aussprechen, daß ein größerer Connex zwischen Industriellen, Künstlern, Kunstgewerbetreibenden und unseren Schulen stattfinden möchte. Man könnte einwenden, daß die Schulen an ihren Früchten erkannt würden. Wieviele Früchte fallen aber nicht frühzeitig von unserem Baume ab, und wenn diese sauer sind, so wird man die Qualität des Baumes nicht allein nach diesen beurteilen können. Andererseits habe ich auch die Erfahrung gemacht, daß die Behauptung, die Kunstgewerbeschulen erziehen ihre Leute unbrauchbar, mit den Tatsachen nicht übereinstimmt. So passierte z. B. einem Herrn, der jene Behauptung sehr energisch in einer großen Versammlung vertrat, das Mißgeschick, daß seine beiden ersten Kräfte, ehemalige Kunstgewerbeschüler waren, wie sich später herausgestellt hat.
Rot möchte ich unterstreichen, daß hier die Einführung des Handfertigkeitsunterrichtes in den allgemein bildenden Schulen befürwortet wurde und daß nicht »grundlegende Thesen«, nicht aufgestellte Lehrpläne für die Kunstgewerbeschulen, als heilbringend angesehen werden, sondern daß einzig und allein auf die Personenfrage Wert gelegt wird. Kürzlich sind sogar von einem Verbande den Regierungen Lehrpläne zur Reformierung der Kunstgewerbeschulen eingereicht worden. Auch diese beweisen, daß sie nur auf Grund der Erfahrungen aufgestellt sind, die die Herren in ihrer Studienzeit gemacht haben.
Ferner bin ich dafür dankbar, daß betont ist, daß Kunstgewerbeschulen nur eine Grundlage für ihre Zöglinge schaffen können, auf Grund deren sie sich im gewerblichen Leben zurecht finden können und schließlich möchte

ich hervorheben, daß für die Gehilfen eine Ergänzung ihres Könnens durch Werkstätten gefordert wurde.

VORSITZENDER:
Das Wort hat Herr Berg, Frankfurt.

STADTBAUINSPEKTOR BERG, FRANKFURT.
Ich möchte zwei Punkte zur Sprache bringen, die noch nicht erwähnt wurden und die ich für wichtig halte. Es kann ja nicht Aufgabe des Werkbundes sein, die Frage der gewerblichen Erziehung allgemein lösen zu wollen. Vielmehr wird der Schwerpunkt seines Wirkens darin zu finden sein, einzelne gewisse als notwendig anerkannte Forderungen aufzustellen und an deren Durchsetzung in die Wirklichkeit mit allen Mitteln zu arbeiten. Dazu gehört für Aufgaben und Stellen den richtigen Mann zu finden und anderes mehr. Zu diesen Forderungen rechne ich die Ausübung der Erziehungspflicht von Staat und Gemeinden an ihren eigenen Bauaufgaben. Wir haben heute oft gehört und sind überzeugt davon, daß nur an Aufgaben, die für die Ausführung bestimmt sind, der Mann der angewandten Kunst erzogen werden kann. (Beifall).
Kann man sich nun etwas Vernünftigeres denken, als wenn Staat und Gemeinden zunächst ihre eigenen Bauaufgaben zur Erziehung benutzen? Nicht nur die Staats- und Kommunal-Architekten müßten ihre Ateliers als Schulen behandeln, Staat und Gemeinden müßten an Privatarchitekten, Unternehmer und Industrielle Aufträge nur unter der Bedingung erteilen, daß ihre Betriebe lehrwerkstattmäßig eingerichtet sind. Die Mehr-

mittel die Stadt und Gemeinde auf diese Weise für ihre Bauausführungen anwenden, sind nicht nur vorteilhafter für die Erziehung verwandt als das in die Schulen gesteckte Geld, sondern auch für die Steigerung der Qualität der Ausführung. Dieser Gedanke berührt sich mit dem von Herrn Prof. Bosselt geäußerten auf Sozialisierung des ganzen gewerblichen Betriebes in den Städten. Bis jetzt haben wir jedoch nur Sozialisierung aus wirtschaftlichen Gründen gehabt. Der Gesichtspunkt der Erziehung, darf jedoch nicht maßgebend sein, für eine wirtschaftliche Frage. Will man jedoch den von mir angeregten Gedanken der Erziehungspflicht an Staats- und Gemeindeaufträgen verfolgen, so ist es selbstverständlich unbedingt notwendig, daß die Auftraggeber von der jetzigen Art der Vergebung ihrer Aufträge zurückgehen. Denn was nützt die beste gewerbliche Heranbildung auf der einen Seite, wenn auf der anderen Seite die Träger dieser Erziehung, Staat und Gemeinden, ihre eigenen Arbeiten auf dem Submissionswege vergeben? (Vielfache Zurufe: Sehr richtig!) Das widerstrebt jeder Qualitätsleistung. (Sehr richtig!) Ein Zweites möchte ich noch zur Sprache bringen. Das heutige Thema spricht nur von der Erziehung des Nachwuchses im Kunstgewerbe. Aus den Ausführungen ist jedoch hervorgegangen, daß auch unser ganzes Handwerk in diese Frage hineinzuziehen ist. Es gehören aber noch viele aus dem Gebiete der angewandten Kunst dazu, deren Vorbildung der Reform bedürftig ist. Ich meine die Architekten und Bautechniker. Für sie gilt dasselbe wie für die anderen. Nur in unmittelbarer Verbindung mit der Ausführung, das heißt durch Entwerfen und Ausarbeiten für die Wirklichkeit, im Atelier oder in der Werkstatt eines tüchtigen Meisters sind sie zu Ausübenden zu erziehen. Eine Reform der technischen Hochschulen und Baugewerkschulen ist notwendig. ‹Beifall.›

VORSITZENDER:
Das Wort hat Herr Grieb-Straubing.

ANTON GRIEB, STRAUBING:
Meine Herren! Ich komme aus Straubings Mauern, wo die Ausnahmbauern, Lederhosen sonnend, maiandächtig, hinterschlächtig wohnen. ‹Heiterkeit.› Sie werden sich denken: kann denn aus Bethlehem auch was Gutes kommen? ‹Heiterkeit.›
Ein Münchener Handwerker hat kürzlich zu mir gesagt, ihr in Straubing seid in Bezug auf modernes Kunstgewerbe früher aufgestanden als wir in München, und das kann man fast nahezu behaupten. In der Münchener Ausstellung sind wenig Handwerker vertreten, es ist das eine traurige Tatsache für den Handwerkerstand. Ich spreche als Handwerker, weil ein solcher noch nicht zu Worte gekommen ist. Ich kenne die Schwächen und die Stärken des Handwerkerstandes. Er befindet sich leider in einer finanziell traurigen Lage, und was seine Bildung anlangt, ebenfalls. Schuld daran sind verschiedene Umstände, schuld daran sind auch unsere Schulen, unsere Baugewerbeschulen, polytechnische Hochschulen, die den italienischen Renaissancestil nach Deutschland verpflanzten und als Dogma aufstellten. Der Mauermeister wurde durch die Bezirksbautechniker von seiner ver-

nünftigen guten Bauweise abgebracht und der Staat, der ja alles am besten versteht, sorgte für die Verschandelung unserer Dörfer und Landschaften. Auch alle übrigen Handwerker wurden dadurch, namentlich was selbstständigen Geschmack und Formensinn anbelangt, verdorben und verwirrt gemacht.

Vor kurzem hat Herr Bezirksamtmann Fischer-Tölz auf dem liberalen Kongreß einen Vortrag über »Kunst und Handwerk« gehalten und dann hat ebenfalls auf dem liberalen Kongreß Herr Kückelhaus-Essen über das Handwerk als Kulturfaktor gesprochen. Diese beiden Vorträge stehen sich diametral gegenüber. Bezirksamtmann Fischer meinte, der Handwerker müsse für sich sein, der Künstler ebenfalls für sich getrennt arbeiten. Damit kann ich mich nicht einverstanden erklären. Ich bin mir überhaupt aus dem Vortrag des Herrn Fischer nicht klar geworden. Herr Kückelhaus hat dagegen gesagt: Handwerker und Künstler müssen zusammenarbeiten. Der hat Recht!

Meine Herren, es ist jetzt die Zeit, wo der individuelle Mensch, wenn ich das Wort mal sagen darf, wo der persönliche Mensch allmählich aufersteht. Es mehren sich die Menschen, die heute besondere Forderungen an die Produzenten stellen. Sie sagen: Ich will mich so einrichten, wie ich es haben will. Das ist nach meinem Dafürhalten die richtige Zeit für das Handwerk. Freilich fragt es sich, ob der Handwerkerstand dazu befähigt ist, den gestellten Forderungen in jeder Richtung nachzukommen. Das ist nun leider zum großen Teil nicht der Fall und daran krankt unser ganzes Handwerk. In Bezug auf die gewerbliche Erziehung stehe ich auf dem Standpunkt des

Herrn Schulrats Kerschensteiner, zuerst eine gute Meisterlehre, daneben eine gute Fortbildungsschule, und wenn dann
einer besonders künstlerisch befähigt ist, so kann er später,
mit 18 Jahren vielleicht, auf eine höhere Schule gehen.
Nun sind heute soviele Theorien und Probleme darge-
legt worden, daß ich Ihnen lieber darlegen möchte, was
wir in Straubing praktisch gearbeitet haben als Beispiel
wie es der Werkbund in kleineren Städten machen sollte.
Es ist gestern vom Goethebund gesprochen worden.
Wenn der Goethebund getan hätte, was Goethe wollte,
der ja auf allen Gebieten zuhause war, dann hätte er
das leisten sollen, was wir heute im Werkbund erst
anstreben müssen. Aber er ist nur auf rein literarischem
Gebiet tätig gewesen. Ich möchte Ihnen nun vorschlagen,
die Flugblätter des Dürerbundes auch vom Werkbunde aus hinauszubringen in alle Welt, dann werden
wir auch für gute Erzeugnisse Käufer finden. Ich habe
in Straubing vor ungefähr fünf Jahren einen Dürerbund
gegründet. Man hat gesagt: Der hat spinnende Ideen!
(Heiterkeit.) Als später unsere Bestrebungen auch auf wirtschaftlichem Gebiete Eindruck machten, da sind sie stutzig
geworden, sie haben zu schimpfen angefangen über
mich auf Grund der Erfolge, die ich hatte, namentlich mit Wohnungseinrichtungen. Ich wollte zuerst das
Geschäft nicht für mich machen, sondern im Gewerbe-
verein eine Verkaufsgenossenschaft gründen. Jedoch die
Vertreter der Möbelindustrie: Tapezier etc. haben dann
gegen mich gearbeitet, und da habe ich gesagt: Gut,
dann lasse ichs bleiben. Ich habe dann das Geschäft für
mich angefangen. Meine Herren, ich kann Ihnen sagen,
der Erfolg war ein guter. Wir arbeiten seit nicht ganz

einem Jahr und die gelieferten Sachen gehen nach allen Richtungen Deutschlands. Der Betrieb ist nicht für mich persönlich, denn ich bin nun einmal so ein Philantrop und liebe die allgemeine Arbeit. Für mich arbeiten 6—8 Schreinermeister, Schlossermeister, Tapezierer. Nun ich kann Ihnen sagen: vorerst werde ich dabei finanziell nicht allzu fett, ⟨Heiterkeit⟩ aber ich habe das Gefühl, daß ich im Kleinen Kulturarbeit verrichte, denn ich suche pädagogische, wirtschaftliche — indem ich den Meistern lohnende Arbeit verschaffe — und vielleicht auch ethische Forderungen zu erfüllen; denn ich sage Ihnen dies: wenn man unter die Handwerker geht und mit ihnen Fühlung nimmt, und wenn man ihnen natürlich mit Aufträgen und klingender Münze kommt, meine Herren, dann ziehen sie am besten. ⟨Heiterkeit.⟩

Vorerst sind sie nicht überzeugt von den guten neuen Formen, sie hängen noch an dem aufgeputzten Zeug, aber es wird sich allmählich einleben. Die Gesellen und Lehrlinge haben größere Freude an neuen Formen, weil daran sauberer gearbeitet werden muß, und sie nicht so darauflos zu schuften brauchen. Da wird nun das erfüllt, was wir heute über Veredelung der Arbeit alles gesprochen haben. Wir erfüllen auch eine wirtschaftliche Aufgabe, denn wir können zu Preisen liefern, daß auch Leute, die über keine zu großen Mittel verfügen, sie bezahlen können. Der Zwischenhändler, der meistens 30—40 Prozent für schlechtere Waren nimmt, ist ausgeschaltet.

Es wäre sehr gut nach meinem Dafürhalten, wenn Künstler hinausgehen würden in die Provinzstädte. Es gäbe draußen sehr viel zu tun und wenn, wie ich es

in Straubing mache, es auch z. B. in Rothenburg gemacht würde, das soviel von Fremden besucht wird und wo noch im schönsten Jugendstil gearbeitet wird, so würde etwas sehr schönes dabei herauskommen. Aber in den meisten Provinzstädten wird noch gar nichts geleistet. Wenn sich nun Künstler draußen der Sache annehmen würden, so könnten sie sich dort eine ganz angenehme sichere Existenz verschaffen.
Der Werkbund könnte sehr viel Gutes wirken, wenn er in verschiedenen Städten in dieser Weise vorgehen würde, und ich glaube überdies noch, daß ein gutes Geschäft dabei gemacht würde. Das möchte ich aus meiner Praxis erzählt haben. (Lebhafter Beifall.)

VORSITZENDER:
Das Wort hat Herr Breuer-Berlin.

SCHRIFTSTELLER ROBERT BREUER, BERLIN.
Meine Herren! Ich möchte einige Worte sagen zu dem Kapitel von der Erziehung des Industriearbeiters. Herr Bruckmann sprach davon, daß eine solche Erziehung nur möglich sei bei enger Fühlungnahme mit der Arbeiterorganisation. Gerade wir, die wir die Erziehung zur Persönlichkeit und zur Selbständigkeit hochhalten, müßten uns hüten, daß in denen, die erzogen werden sollen, nicht die Meinung aufkommt: sie sollten nur Objekt, nimmer aber Subjekt der Erziehung sein. Jede Erziehung muß mit den Instinkten rechnen, die sich bei denen finden, an die sie sich wendet. Wer aber kennt nun die Instinkte der Arbeiter besser als die Leute, die den Organisationen vorstehen. Jegliche Erziehung trägt

nur dann volle Frucht, wenn der Schüler sie will. Wenn aber Mißtrauen gegen die Schule da ist, kann niemals etwas Vollendetes herauskommen. Und nun wird man zugeben müssen, daß von dem Arbeitnehmer alles das, was die Unternehmer ihm an Schulen bieten, zunächst mit Mißtrauen aufgenommen wird und auch so aufgenommen werden muß. Ob solcher Skepsis brauchen wir nicht einmal traurig zu sein, sollten uns deren vielmehr freuen, denn sie gibt uns die Gewißheit, daß wir nicht an Schablonen, sondern an Menschen geraten. Warum sollte denn zunächst auch das Vertrauen der Arbeitnehmer gegen die Fabrikschule von vornherein größer sein als etwa das gegen die Volksschule! Es sind übrigens abgesehen von dem Stimmungsmäßigen genug objektive Gründe vorhanden, solches Vertrauen nicht ohne weiteres aufkommen zu lassen. Denken Sie z. B. daran, daß der Religionsunterricht nur messerbreit an der obligatorischen Fortbildungsschule vorübergerutscht ist. Und dann die Erziehung in der Bürgerkunde! Eine Sache von fundamentalster Bedeutung. Wie sollte es dem heutigen Arbeitnehmer nicht gefährlich erscheinen, daß Bürgerkunde durch den Staat oder den Arbeitgeber erteilt wird.
Aber selbst abgesehen von diesen mehr ideellen Dingen, auch die rein praktische Erziehung zur Qualitätsarbeit muß den Arbeitnehmer zunächst stutzig machen. Er muß sich fragen: warum wollen denn die Leute, daß ich bessere Qualität produziere. Er wird sich sagen: das bessere Werte geschaffen werden. Und er wird wiederum fragen: was bekomme ich von diesem zu erzeugenden Plus für mein Teil an Lohn? Darum ist das, was Kerschensteiner sagte, das wirkliche Zentralproblem der Frage nach der

Erziehung der Industriearbeiter: daß die ganze Lebenslage dieser Gattung gehoben werde! Erst dann, wenn die Industriearbeiter sich sagen müssen: die Herren des Werkbundes wollen uns nicht nur eine höhere Bildung besorgen, sie wollen unserer besseren Arbeit auch höhere Löhne verschaffen, erst dann wird das Vertrauen gewonnen sein, das für eine gedeihliche Erziehung notwendig ist. Dann, aber auch erst dann, ist die Möglichkeit geschaffen, das Vertrauen der Organisationen zu gewinnen.

Ich weiß wohl, daß die Organisationen heute im Wesentlichen nur Lohnpolitik und nicht Qualitätspolitik treiben wollen. Die Schwierigkeiten, hier Änderung zu schaffen, sollen gewiß nicht unterschätzt werden. Sie würden aber sicherlich geringer sein, wenn es am Tage wäre, daß der den Arbeitern abgeforderten höheren Qualität höhere Löhne folgen. Jedenfalls, so groß die Schwierigkeiten auch sein mögen, das Vertrauen der Organisationen muß gewonnen werden. Man bedenke, was es bedeuten würde, wenn diese großen Körperschaften ihre ungeheure Stoßkraft nicht nur auf Lohnpolitik, sondern gleichzeitig auf die Erziehung zur Qualität richteten. Was würde es bedeuten, wenn es zur Ehre des Arbeiters gehörte, nicht nur politisch und wirtschaftlich organisiert zu sein, sondern auch dauernd zu streben, die Qualität der deutschen Arbeit zu heben!

Ich will keine Vorschläge machen, wie man nun im einzelnen das Vertrauen der Arbeiter und ihrer Organisationen gewinnen könnte. Am leichtesten scheint mir der Weg in der Fabrikschule. Wenigstens der Anfang ist hier leicht; in der Schulkommission müßten unbedingt genügend Vertreter der Arbeitnehmer sitzen. (Beifall.)

VORSITZENDER:
Das Wort hat Herr Bruckmann.

HOFRAT PETER BRUCKMANN-HEILBRONN.
Meine Herren! Herr Dr. Muthesius hat es ganz richtig als unmöglich bezeichnet, daß wir in der Diskussion zu einem greifbaren Resultate in Bezug auf die heutigen Referate kommen. Ich möchte aber als Ergebnis der Diskussion den Antrag III der »Anregungen zum Jahresarbeitsplan« herausgreifen und ihm zur Annahme empfehlen. Der Antrag lautet:
»Die erste Jahresversammlung des Deutschen Werkbundes fordert den Vorstand auf, das Ergebnis der Referate und der Diskussion über die Erziehung des gewerblichen Nachwuchses in einer Denkschrift niederzulegen und dafür Sorge zu tragen, daß in Zukunft Vertreter des Deutschen Werkbundes zu den Beratungen seitens der Behörden über diese Frage zugezogen werden.
Weiterhin wird der Vorstand des Deutschen Werkbundes beauftragt, die Lehrlingsausbildungen in den gewerblichen Großbetrieben mit allen ihm zu Gebote stehenden Mitteln zu fördern«.

VORSITZENDER:
Meine Herren! Ich glaube der Antrag ist klar und einfach genug, so daß eine Diskussion nicht vonnöten sein wird. Die Herren, die gegen den Antrag stimmen, bitte ich, sich von ihren Sitzen zu erheben. (Zuruf: Nur Bundesmitglieder!)
Es ist kein Widerspruch erfolgt. Der Antrag ist einstimmig angenommen.

Für die Wahl der Kommission ist eine Vorschlagsliste eingelaufen. Es sind vorgeschlagen die Herren: Bruckmann, Bosselt, Dohrn, Muthesius, Stadler, Kerschensteiner und der Bundesvorsitzende. (Zuruf: Ich möchte vorschlagen, einen Herrn aus dem Handwerker- und Fabrikbetrieb noch hinzuzunehmen.)

VORSITZENDER:
Zur Vorschlagsliste für die Kommission erteile ich das Wort Herrn Dohrn.

DR. WOLF DOHRN-DRESDEN.
Meine Damen und Herren! Bei der Zusammensetzung der Kommission zur Ausarbeitung einer Denkschrift über die gewerbliche Erziehung möchte ich auf die merkwürdige Tatsache hinweisen, daß heute in der Diskussion so wenig Gewerbetreibende das Wort ergriffen haben, obwohl an die Geschäftsstelle des Bundes gerade aus dem Kreise der Gewerbetreibenden vielfach schriftliche Äußerungen über das in Rede stehende Problem gelangt sind. Ich könnte verschiedene Herren nennen, die uns zu den von mir vorgetragenen Leitsätzen ausgezeichnete Ergänzungen schriftlich übermittelt haben und ich bedaure lebhaft, daß Sie es vorgezogen haben, in der öffentlichen Versammlung zu schweigen. Vielleicht ist es angebracht, gerade diese Herren noch in die Kommission aufzunehmen. Neben Herrn Bruckmann, der das Referat gehalten hat und Herrn Stadler, der eine eigene Lehrlingswerkstätte in seinem Betrieb eingerichtet hat, würde ich noch vorschlagen Herrn Richard L. F. Schulz-Berlin und Herrn Wilhelm-München. Auch Herrn Schmidt von den

Dresdner Werkstätten für Handwerkskunst würde ich vorschlagen, wenn nicht seine Lehrlingswerkstätte, an der ich selbst mitwirke, in der Kommission durch mich vertreten wäre.

VORSITZENDER:
Besteht gegen diese Vorschläge ein Bedenken? Ich bitte die Herren, die sich mit diesen Vorschlägen nicht einverstanden erklären, sich von den Sitzen zu erheben. Ich stelle fest, daß sie einstimmig angenommen sind. Die Kommission besteht also aus den Herren: Bruckmann-Heilbronn, Bosselt-Düsseldorf, Dohrn-Dresden, Muthesius-Berlin, Stadtler-Paderborn, Kerschensteiner-München, Richard L. F. Schulz-Berlin, Wilhelm-München und dem Bundesvorsitzenden.

(Schluß der Vormittagssitzung.)

SCHLUSSBERICHT.

Die Nachmittagsverhandlung war im Wesentlichen angefüllt mit der Beratung innerer Bundesangelegenheiten Es genügt die Zusammenstellung der Ergebnisse.

AUSSTELLUNGSKOMMISSION.

Der Versammlung war folgender Antrag zur Beschlußfassung vorgelegt:
»Die Erste Jahresversammlung des Deutschen Werkbundes fordert den Vorstand auf, eine ständige Ausstellungskommission für die Deutsche Kunst und das Deutsche Kunstgewerbe zur Stellungnahme in allen Ausstellungsfragen ins Leben zu rufen. Sie empfiehlt zu diesem Zweck, mit verwandten Organisationen ins Benehmen zu treten und mit der ständigen Ausstellungskommission für die Deutsche Industrie zusammen zu wirken. ⟨Der Ausschuß des Deutschen Werkbundes.⟩«
An der Besprechung dieses Antrages beteiligten sich außer dem Vorsitzenden noch die Herren: Regierungsrat Albert vom Reichsamt des Innern-Berlin und Herr Karl Schmidt von den Deutschen Werkstätten für Handwerkskunst-Dresden.

Die Rede des Herrn Regierungsrats Albert lautete:
»Meine Herren! Die Anregung, innerhalb des Werkbundes eine besondere Kommission für Ausstellungszwecke zu bilden, berührt eine interne Angelegenheit Ihrer Vereinigung, so daß ich mich hierzu nicht amtlich,

sondern nur rein persönlich äußern kann. Es erscheint aber auch mir zweckmäßig, ein solches besonderes Organ zu schaffen, das die vielen mit Ausstellungssachen zusammenhängenden Fragen systematisch bearbeitet.
Auch ein etwaiger Anschluß an die ständige Ausstellungskommission für die deutsche Industrie scheint mir durchaus empfehlenswert.
Ich möchte nun aber diese Gelegenheit benutzen, Sie schon heute vor eine praktische Frage zu stellen, indem ich Ihr Interesse für die bevorstehende Weltausstellung in Brüssel 1910 in Anspruch nehme. Die Reichsverwaltung hat sich aus Gründen internationaler Repräsentation und aus Rücksicht auf die Stellung Deutschlands im Wettbewerbe auf dem Weltmarkt entschlossen, sich an der genannten Ausstellung amtlich zu beteiligen. Daraus ergibt sich die Frage, ob sich auch das deutsche Kunstgewerbe in Brüssel beteiligen soll und in welcher Form?
Man könnte zunächst Zweifel tragen, ob diese Frage zu bejahen sei. In Belgien ist in ästhetischer Hinsicht der französische Geschmack vorherrschend. Es liegt dies an der hervorragenden Stellung des französischen Kunstgewerbes überhaupt sowie im besonderen an dem großen historisch begründeten Einfluß der Franzosen in Belgien. Dementsprechend sind die Exportziffern bezüglich der Ausfuhr deutscher kunstgewerblicher Gegenstände nach Belgien zur Zeit gering. Wenn man sich gleichwohl dahin bescheiden muß, daß eine Beteiligung des deutschen Kunstgewerbes in Brüssel unumgänglich notwendig ist, so sind dafür folgende Gesichtspunkte maßgebend:
Die Beteiligung Deutschlands an internationalen Ausstellungen erfolgt nicht ausschließlich, um unmittelbar im

Anschluß an die Ausstellungen Aufträge nach Deutschland zu ziehen, sondern in erster Linie um ein möglichst geschlossenes Bild zu geben, was wir auf geistigem und wirtschaftlichem Gebiete leisten können, und um auf diese Weise in eine großzügige Propaganda für deutsches Wesen und für deutsche Leistungen einzutreten. Wird hierdurch ein durchschlagender Erfolg erzielt, so bleibt auch die materielle Wirkung nicht aus, die in einer Befestigung und Erweiterung unserer internationalen Handelsbeziehungen zum Ausdrucke kommt. Dieser Gesichtspunkt muß besonders auf einem Gebiete, wie dem des Kunstgewerbes gelten, wo die Frage des Geschmacks ausschlaggebend ist und eine Steigerung der Ausfuhr durch vermehrte Heranziehung ausländischer Aufträge nur möglich ist, wenn es gelingt, dem deutschen Geschmack Eingang zu verschaffen.
Daraus ergibt sich ohne weiteres der Rahmen, in dem man ausstellen müßte. Es wäre verfehlt, in Brüssel mit französischem Geschmack wetteifern zu wollen und französische Vorbilder nachzuahmen. Wir müßten uns nicht nur von solchen unselbständigen Nachbildungen, sondern vor allem auch von der Kopie fremden Wesens fernhalten. Es ist der Versuch zu machen, unserem eigenen nationalen Stil zum Durchbruch zu verhelfen, d. h. unser deutsches Schaffen in einem dem Zeitgeist entsprechenden künstlerischen Gewande zur Vorführung zu bringen.
Ich denke dabei im besonderen Maße an die Darstellung deutscher Raumkunst. Eine wichtige Frage dabei ist natürlich die Finanzierung. Jede Ausstellung legt den gewerblichen Kreisen naturgemäß Opfer auf. Insofern wende ich mich auch an Ihre Opferfreudigkeit. Immerhin

ist zu beachten, daß für die Brüsseler Ausstellung eine Beteiligung des Kunstgewerbes nur in einem dem geringeren Umfange der Weltausstellung entsprechenden begrenzten Maße in Frage kommt. Innerhalb dieses begrenzten Raumes hoffe ich, daß es möglich sein wird, staatliche und private Aufträge für die auszustellenden Räume und für eine Reihe anderer kunstgewerblicher Ausstellungsobjekte zu erhalten, so daß das was ausgestellt wird, zugleich einem praktischen Zwecke dient.
Die Frage der Organisation der kunstgewerblichen Abteilung müssen wir heute noch offen lassen. Ob sich der Werkbund als solcher beteiligt oder ob es zweckmäßiger erscheint, ihn durch seine einzelnen Mitglieder heranzuziehen, das läßt sich erst bei der weiteren Entwickelung der Vorbereitungsarbeiten entscheiden. Die geschäftlichen Verhandlungen können wir ja um so vertrauensvoller der Zukunft überlassen, als Sie heute beschlossen haben, eine besondere Ausstellungskommission für die Bearbeitung solcher Fragen zu schaffen. Für heute habe ich meinen Zweck erreicht, wenn es mir gelungen ist, Ihr Interesse auf die Brüsseler Weltausstellung hinzulenken. Es gilt in Brüssel bei dem Kampfe um den Absatz auf dem Weltmarkte auch der Qualitätsware des deutschen Kunstgewerbes neue Absatzgebiete zu eröffnen und ich kann nur den Wunsch aussprechen, daß auch die Mitglieder des Werkbundes hierbei nicht fehlen werden. (Beifall).

BUNDESSATZUNG UND ORGANISATION.

Die Bundessatzung, wie sie im Anhang dieser Schrift mit der Liste der Bundesämter im Auszug abgedruckt ist, wurde einstimmig angenommen. Erwähnt sei ein von den Herren Peter Behrens und Walther Pantenius unterzeichneter Zusatzantrag. Er lautet:

«Unehrenhaftes geschäftliches Gebahren ist als eine Handlung zu betrachten, die im Sinne des § 6 der Bundessatzung gegen das Bundesinteresse verstößt. Dieser Beschluß ist in Zukunft jedem Exemplar der Satzung gedruckt beizufügen.»

Zur Organisation des Deutschen Werkbundes wurde beantragt und einstimmig beschlossen:

1. »Die Institution der Fachvertrauensleute ist in den Grundzügen beizubehalten und zu Fachausschüssen auszubauen.«

(Der Ausschuß des Deutschen Werkbundes).

2. »In der Erwägung, daß Minderbemittelten der Eintritt in den Bund stets möglich sein soll, wird als Mitgliedsbeitrag für den Deutschen Werkbund ein Mindestsatz von 10 M pro Jahr festgesetzt. Doch spricht die Versammlung die bestimmte Erwartung aus, daß die Leistungsfähigen sich durch Selbsteinschätzung zu einem höheren Jahresbeitrag verpflichten. Die auch in Zukunft wünschenswerte Beschränkung der Mitgliederzahl des Deutschen Werkbundes auf den Kreis der in Kunst und Gewerbe führenden Kräfte macht eine höhere Selbstbesteuerung der Mitglieder zur unerläßlichen Voraussetzung für ein erfolgreiches Arbeiten des Bundes.«

Zu diesem Antrag ist zu bemerken, daß er in seinem Inhalt nachträglich in die Bundessatzung aufgenommen wurde.

JAHRESARBEITSPLAN DES DEUTSCHEN WERKBUNDES.

Die Stellung des Deutschen Werkbundes zu den Fragen der Heranbildung des gewerblichen Nachwuchses zeigt die ausführlich wiedergegebene Beratung der Vormittagssitzung. Weiterhin sind folgende Anträge zu verzeichnen:

1. Die Erste Jahresversammlung des Deutschen Werkbundes fordert den Vorstand auf, die Maßnahmen zur Verbreitung guter Arbeit im kaufenden Publikum weiter auszubauen. Sie empfiehlt:

a) Die Herausgabe kurz gefaßter Spezialdarstellungen aus den einzelnen Gebieten gewerblicher Arbeit.

b) Die Einrichtungen örtlicher Auskunftsstellen für das kaufende Publikum.

Sie stellt es dem Vorstand anheim, zu diesem Zweck mit anderen Verbänden von Fall zu Fall in Verbindung zu treten. (Der Ausschuß des Deutschen Werkbundes.)

Bei dem ersten Teil des Antrags handelt es sich, wie Herr Walther Pantenius in Firma Voigtländers Verlag ausführt, zunächst um die Herausgabe kurzgefaßter Darstellungen aus den einzelnen Gebieten gewerblicher Arbeit. Diese Darstellungen verfolgen den Zweck, das Publikum über Materalien und Techniken bei den einzelnen Gewerben über Echtheit, solide Arbeit und künstlerische Qualität aufzuklären. Der zweite Teil des Antrages, die Errichtung örtlicher Auskunftsstellen für das kaufende Publikum soll die Möglichkeit geben, neben den theoretischen Anweisungen gedruckter Einzel-Darstellungen dem Publikum auch praktischen Rat zu erteilen. Herr Gustav Halmhuber-Köln berichtete von seinen, in der Kölner Handelshochschule im Sinne des Werkbundes gehaltenen Vorlesungen. Er empfahl, auch weiterhin die Handelshochschulen, nach dieser Richtung hin zu beeinflussen. Der Vorsitzende, Herr Theodor Fischer, berichtete, daß Dr. Gustav Pazaurek, Direktor am Landesgewerbemuseum zu Stuttgart, im kommenden Winter solche Vorträge für Verkäufer und Verkäuferinnen veranstalten werde.

2. Dr. Schäfer-Bremen ließ an den Vorstand des Deutschen Werkbundes folgende Anregung gelangen:

»Unsere Kunstgewerbemuseen sind in ihrer bisherigen Verfassung der Mehrzahl nach Anstalten kunstgeschichtlichen, wissenschaftlichen Charakters. Sie haben sich eingerichtet auf den Standpunkt der Stilnachahmung des 19. Jahrhunderts.

Dem heutigen Schaffen im Sinne des Deutschen Werkbundes zu dienen, werden sie eher imstande sein, wenn sie sich zu Arbeitsmuseen umbilden, die zwar in ihren Beständen nach wie vor aufs strengste ihr wissenschaftliches Wesen wahren, aber außerdem durch Vorträge, Führungen, instruktive Ausstellungen und durch Eingreifen in die Fragen der öffentlichen Kunstpflege dem Leben der Gegenwart dienen.

Es kann sich dabei weniger um populär wissenschaftliche Aufklärung handeln, die sich an ein allgemeines Publikum wendet, als um die Weiterbildung aller in dem Kunstgewerbe beschäftigten Kreise, der Handwerksmeister, der Industriearbeiter, der Verkäufer, Reisenden usw. Was das Museum in diesen Kreisen pflegen muß, ist nicht stilgeschichtliches Wissen, sondern Liebe zur guten Arbeit, jeder Art Verständnis für Zweckform, für Material und für Technik und ihre natürlichen Schönheiten.

In diesem Sinne können die Museen eine neue und ohne Frage sehr wesentliche und segensreiche Aufgabe im Dienste der Gegenwart erfüllen.«

Mit Recht wies Dr. Schäfer darauf hin, daß die Ansätze zu solcher Tätigkeit bereits vielfach an den Museen vorhanden seien. Der Deutsche Werkbund aber könnte den »Ansporn geben, daß künftig noch mehr und vielleicht noch gründlicher auf diesem Gebiet von den Museen gearbeitet werde.«

3. Andere von Mitgliedern des Deutschen Werkbundes gestellte Anträge bezwecken eine Beeinflussung der Bautätigkeit durch den Deutschen Werkbund.

Der darauf bezügliche Antrag Berg-Kampffmeyer lautet: »Die I. Jahresversammlung des Deutschen Werkbundes beauftragt den Vorstand, die gesetzliche Regelung des Städtebaues zu beraten mit dem Endzweck, die Bundesregierung zu ersuchen Gesetze auszuarbeiten, die eine, dem heutigen Stand entsprechende Regelung der Aufstellung von Bebauungsplänen und Bauordnungen ermöglichen, sowie Maßnahmen zu treffen, die die Aufstellung und Ausführung von Bebauungsplänen und Bauordnungen seitens der Gemeinden unter eine sachverständige Aufsicht stellt.

In Anbetracht der wirtschaftlichen, kulturellen und hygienischen Bedeutung der Frage, möge der Vorstand bezw. eine Kommission sich mit den hierfür in Betracht kommenden Organisationen in Verbindung setzen (z. B. Verband deutscher Architekten- und Ingenieurvereine, dem Bund Deutscher Architekten, der Deutschen Gartenstadtgesellschaft, dem Bayrischen Verein für Volkskunde, dem Deutschen Verein für Wohnungsreform, dem Bund Deutscher

Bodenreformer, den Baugenossenschaftsverbänden, dem Deutschen Verein für öffentliche Gesundheitspflege u. a.)«
In der Begründung seines Antrages wies Herr Berg-Frankfurt darauf hin, daß es sich für ihn nicht darum handele, durch die gesetzliche Regelung des Städtebaues der Stadtbaukunst Vorschriften zu machen. Die Weiterbildung dieser Kunst sei vielmehr Sache innerer Entwickelung. Aber es handele sich um eine formelle Regelung zur Beseitigung der Hindernisse, die dem baukünstlerischen Schaffen z. Z. im Wege stehen. Die Übelstände seien in fast allen Staaten die gleichen, ein geschlossenes Vorgehen daher sachgemäß.
Die Beseitigung bestehender Vorschriften müsse aber Hand in Hand gehen mit einer Erziehung der Kommunal-Behörden, zur Aufstellung und Ausführung guter Bebauungspläne und Bauordnungen. Hier werde es sich wesentlich darum handeln, den richtigsten Weg zur Erlangung guter Baupläne nachzuweisen.
Nicht die kommunale Sache des Bauwesens, sondern einen Teil der privaten Bautätigkeit betrifft ein Antrag Dr. Warlich-Kassel. Er lautet:
»Die erste Jahresversammlung des Deutschen Werkbundes befürwortet eine Einwirkung auf die gemeinnützigen Baugenossenschaften durch Vorschläge geeigneter Wege zur Erlangung guter Baupläne, durch den Hinweis auf die wesentlichen Bedingungen eines einwandfreien Bebauungsplanes, durch Forderung der Verwendung guter Materialien und durch die Anregung, die Häuser und Wohnungen auch mit einfachem, gediegenem, praktischem und schönem Hausrat auszustatten.«
Mit Recht wies der Antragsteller in seiner Begründung

auf die Bedeutung der Baugenossenschaften als Unternehmer im Baugewerbe hin. Ihre Bautätigkeit sei eine außerordentliche, entspreche aber in den seltensten Fällen den Anforderungen, die der Deutsche Werkbund an künstlerische Qualität stellen müsse. Die Beeinflussung dieser Bautätigkeit sei um so wichtiger, als es sich nicht nur um den Bau einzelner Häuser, sondern um die Anlagen geschlossener Siedelungen handele. Auch sei darauf hinzuwirken, daß die äußerlich gut gebauten Häuser im Innern gut eingerichtet würden. Es genüge nicht, guten Hausrat auf den Ausstellungen zu zeigen, man müsse auch den unteren Bevölkerungsschichten die Wege weisen ihn anzuschaffen. Die Baugenossenschaften seien der geeignete Anknüpfungspunkt.
Auch bei Großindustriellen, die mit Hilfe der Landesversicherungsanstalten ihre Bauten ausführen, müßte in diesem Sinne eingewirkt werden. Für den deutschen Osten käme vor allem die Kgl. Ansiedelungs-Kommission in Frage. Diese habe in den letzten Jahren über 12000 Familien in ländlichen Bauten und ganzen Dorfanlagen seßhaft gemacht.

Zum Schluß wurde als Ort der nächsten Jahresversammlung des Deutschen Werkbundes Frankfurt a. M. bestimmt.

DER DEUTSCHE WERKBUND

Der Sitz des Bundes ist München.
Der Zweck des Bundes ist: die Veredlung der gewerblichen Arbeit im Zusammenwirken von Kunst, Industrie und Handwerk durch Erziehung, Propaganda und geschlossene Stellungnahme zu einschlägigen Fragen (Satzung § 2).
Mitglieder des Bundes können sein: Künstler, Gewerbetreibende (Einzelpersonen, sowie Firmen der Industrie und des Handwerks) und Sachverständige (Satzung § 3).
Die Aufnahme in den Bund geschieht nur auf Einladung und durch Beschluß der Vorstandschaft (Satzung § 4).
Der Mitgliedsbeitrag wird von jedem Mitglied durch Selbsteinschätzung nach dem Maß seiner Leistungsfähigkeit selbst festgesetzt. Er beträgt mindestens M 10.—.
Organe des Bundes sind: Der Vorstand und die Vorstandschaft, der Ausschuß, die Mitgliederversammlung.

DIE MITGLIEDER DES VORSTANDES

für 1908/09 sind:

Professor THEODOR FISCHER, MÜNCHEN (I. Vorsitzender)
Hofrat PETER BRUCKMANN i. Fa. Peter Bruckmann & Söhne, HEILBRONN (II. Vorsitzender)
GUSTAV GERICKE, Direktor der Linoleumfabrik »Ankermarke«, DELMENHORST bei Bremen
Maler GUSTAV KLIMT, WIEN
Geheimrat Dr. ing. HERMANN MUTHESIUS, BERLIN
Professor J. J. SCHARVOGEL, Direktor der keramischen Manufaktur, DARMSTADT
Dr. WOLF DOHRN, DRESDEN (Geschäftsführer)

Der Ausschuß besteht aus den Ortsvertrauensleuten der Bundesbezirke und den von der Versammlung gewählten Mitgliedern.

1. ORTSVERTRAUENSLEUTE:

Bezirk:	Name:
Berlin	Prof. Bruno Möhring, Berlin SW. 35, Potzdamerstraße 109
Bremen	Direktor Emil Högg, Bremen, Gewerbemuseum
Breslau.........	Professor Hans Pölzig, Breslau, Leerbentelstraße 8
Danzig..........	Prof. Albert Carsten, Danzig-Langfuhr
Hannover	Prof. H. Schaper, Hannover, Jungferplan 5
Königsberg......	Professsor L. Dettmann-Königsberg, Kgl. Kunstakademie
Dresden.........	Professor Fritz Schumacher, Dresden, Bergstr. 22
Leipzig.........	Carl Ernst Poeschel, Leipzig, Seeburgstraße 57
Niederrhein	Prof. R. Bosselt, Düsseldorf, Kunstgewerbeschule
Krefeld.........	Dr. Fr. Deneken, Krefeld, Kaiser Wilhelmmuseum
Westfalen	Karl Ernst Osthaus, Hagen i. W., Museum Volkwang
Schleswig-Holstein	Professor Dr. Otto Lehmann Altona, Altonaer Museum
Mittelrhein.......	Professor J. J. Scharvogel, Darmstadt, Großh. keramische Manufaktur
Württemberg.....	Hofrat Peter Bruckmann, Heilbronn a. N.
Oberrhein	C. F. Otto Müller, Karlsruhe i. B., Kaiserstr. 144
Straßburg	Gustav Stoßkopf, Straßburg i. E., Brandgasse 6

Bezirk:	Name:
Magdeburg	Professor E. Thormählen, Magdeburg, Adelheidring 17
München	Prof. Richard Riemerschmid, Pasing, Lützowstr.
Thüringen	Professor Henry van de Velde, Weimar, Kunstschulstraße
Österreich	Professor Josef Hoffmann, Wien VII, Neustiftsgasse 32
Schweiz	Professor Julius de Praetere, Zürich, Kunstgewerbeschule

2. GEWÄHLTE MITGLIEDER:

Professor Peter Behrens, Neubabelsberg b. Berlin, Haus Erdmannshof
Anton Grieb, Straubing bei Regensburg
Direktor Dr. Peter Jessen, Berlin SW. 11, Prinz Albrechtstraße 7a
Professor Rudolf Kautzsch, Eberstadt bei Darmstadt
Stadtschulrat Dr. Gg. Kerschensteiner, München, Möhlstr.
Karl Klingspor i. Fa. Gebr. Klingspor, Offenbach a. M.
Professor Wilhelm Kreis, Düsseldorf, Burgplatz 1
Prof. Bernhard Pankok, Stuttgart, Senefelderstraße 45
Dr. Walther Pantenius i. Fa. R. Voigtländers Verlag, Leipzig
Professor Bruno Paul, Charlottenburg, Grolmanstraße 3
Karl Rothmüller, München, Müllerstraße 44
Dr. Karl Schaefer. Bremen, Gewerbemuseum
Karl Schmidt i. Fa. Deutsche Werkstätten für Handwerkskunst Dresden, G. m. b. H., Kreutzerstraße 21
Gottlob Wunderlich i. Fa. Wilhelm & Co., München, Müllerstraße 3

Für die im Bund vertretenen Fächer gewerblicher Arbeit wurden Fachvertrauensleute ernannt und Fachausschüsse gebildet.

FACHVERTRAUENSLEUTE:

Fach:	Vertrauensmann:
1. Töpfereigewerbe (Steinindustrie u. Steinmetzarbeiten)	J. J. Scharvogel, Darmstadt
2. Glasgewerbe	G. Pazaurek, Stuttgart
3. Möbel und Innenausbau (Holzverarbeitung, einschl. Musikinstrumente, Linoleum, Tapeten, Tapezier- und Dekorationsgewerbe, s. a. Metallverarbeitung ..	Karl Schmidt, Dresden
4. Verarbeitung unedler Metalle, besonders Eisen, Stahl, Erz, Bronze, Kupfer, Messing, Blech, Beleuchtungsgewerbe, Installation u. Verwandtes	Rich. L. F. Schulz, Berlin
5. Verarbeitung unedler Metalle, auch Juwelierarbeiten	Peter Bruckmann, Heilbronn
6. Textil- und Bekleidungsgewerbe	Friedrich Deneken, Krefeld
7. Schriftgewerbe, — Papierindustrie, Schriftgießerei, Buch- und Steindruck, Graphik, Photographie, Buchbinderei	Carl Ernst Poeschel, Leipzig
8. Buchverlag.	Eugen Diederichs, Jena
9. Kunstgewerbl. Zwischenhandel	C. F. Otto Müller, Karlsruhe
10. Baugewerbe (einschließlich Gartenbau)	Georg Wickop, Darmstadt

Die Geschäftsstelle des Deutschen Werkbundes befindet sich
DRESDEN-A. 16, Blasewitzerstraße 17, I.

Gedruckt in Leipzig bei Poeschel & Trepte.

FRIEDRICH NAUMANN
DEUTSCHE GEWERBEKUNST
BUCHSCHMUCK VON ADOLF AMBERG
GEBUNDEN M 1.20, BROSCHIERT M —.80.

Über das Programm des deutschen Werkbundes hat Friedrich Naumann ein kleines Buch geschrieben. Er zeigt, warum der Bund gegründet werden mußte, wie er organisiert ist, mit was für Mitteln und auf welchen Wegen er für seine Ziele arbeiten kann.
Doch ist dies nur der äußere Rahmen zu gründlichen, eindringlich formulierten Betrachtungen über moderne Gewerbekunst überhaupt. Wenige Männer sind so geeignet wie Naumann, diese viel erörterten Dinge darzustellen und dem Laien nahe zu bringen, denn er sieht beide Seiten: die künstlerische und die wirtschaftliche. — Die Kenner von Naumanns Schriften wissen, in welch vollendeter Weise er ästhetische Probleme zeigt und erklärt. Aber während er so das Künstlerische in sich faßt und zur Voraussetzung umbildet, führt er ins Wirtschaftliche, Sozialpolitische hinein. Mit größter Offenheit weißt er die Schwierigkeiten nach, die in der heutigen Wirtschaftspolitik der kunstgewerblichen Fertigfabrikation die Brust enge machen, und holt dann die entscheidenden positiven Forderungen hervor: Schule, Lohn, Arbeitsverfassung, Volksgesinnung.
Selten wurde so wie in dieser knappen Schrift der Zusammenhang des kulturellen Fortschritts mit Wirtschafts- und Gesellschaftsbildung gezeigt. — Das Buch ist in Naumanns klarer und farbiger Sprache geschrieben, anregend, mitteilsam, erfrischend.

In allen Buchhandlungen gern zur Ansicht. Notfalls zu beziehen durch den Buchverlag der „HILFE“ G. m. b. H. Berlin-Schöneberg.

CPSIA information can be obtained
at www.ICGtesting.com
Printed in the USA
BVHW031229020819
554966BV00001B/149/P